LA NUEVA DIETA PARA DIABÉTICOS

Dr. Josep Maria Calvet

LA NUEVA DIETA PARA DIABÉTICOS

Con la colaboración de Candela Sarret,
educadora en diabetes

Ediciones Martínez Roca

Diseño cubierta: Xavier Comas
Foto cubierta: Agencia Stone
Ilustraciones de interior: H. Abellán-Akema

© 2001, Josep Maria Calvet Francés
© 2001, Ediciones Martínez Roca, S. A.
Provença, 260, 08008 Barcelona
Primera edición: junio de 2001
ISBN 84-270-2705-2
Depósito legal B. 24.694-2001
Fotocomposición: Fort, S. A.
Impresión: Hurope, S. L.
Encuadernación: Encuadernaciones Roma, S. L.

Impreso en España – Printed in Spain

ÍNDICE

SEGUNDA PARTE

RECETAS PARA MEJORAR LA DIETA

Prólogo

La idea de redactar este libro surgió al coincidir diversas circunstancias que, en su conjunto, me hicieron pensar que su
publicación podía resultar muy útil para numerosas personas.

En primer lugar, la convicción de que en cuanto al tratamiento de la diabetes, la dieta está muy necesitada de nuevas sugerencias y de renovadas ideas puesto que la sistemática desplegada para mejorar su seguimiento no ha
proporcionado todavía resultados suficientemente satisfacto-
rios.

En segundo lugar, las enormes limitaciones para cumplir
con precisión las directrices vigentes sobre la dieta destinada al tratamiento de la diabetes tipo 2. Ésta debe ser baja en
hidratos de carbono, pobre en calorías, reducida en lípidos,
muy baja en colesterol y en ácidos grasos saturados y sin abuso de proteínas. Todo un cúmulo de restricciones que exigen
alternativas que eviten una excesiva monotonía, pero que di-

fícilmente encontramos en los libros de cocina. La expansión gastronómica debemos buscarla en el grupo de los vegetales, pues sólo así resulta sencillo no sobrepasar los niveles adecuados de hidratos de carbono, calorías, grasas, colesterol y proteínas.

Además, para concebir un método que evite esta monotonía se debe tener en cuenta la tendencia predominante contraria a las fórmulas culinarias complicadas que impliquen dedicar demasiado tiempo a la cocina. La propuesta actual reclama simplicidad y los libros de cocina con recetas sofisticadas y de compleja elaboración quedan relegados a los profesionales de la gastronomía y a una minoría de aficionados cada vez más reducida.

En el área de la diabetes tipo 1, el momento presente coincide con la creciente difusión de los tratamientos intensivos con insulina que, entre otras cosas, suponen la apertura de nuevas y amplias posibilidades en la dieta para quienes la padecen, novedades que bien merecen cualquier esfuerzo de divulgación.

Por todo ello, consideré que este era el momento adecuado para una publicación que hiciera una revisión simple y una puesta al día del tratamiento dietético de la diabetes, con el añadido de un pequeño esfuerzo educacional dirigido a mejorar la calidad cotidiana de los menús y la salud de la persona que los ingiere. En este sentido, la segunda parte del libro aporta una colección de recetas sanas y sencillas.

La elaboración de esta obra ha contado con la inestimable colaboración de mi esposa, Candela Sarret, educadora en diabetes, que dispone de un amplio fichero de recetas reunido y revisado durante años, que le ha servido en diversas ocasiones para organizar cursos de dietética práctica destinados a personas que padecen esta enfermedad.

Primera parte

El tratamiento dietético de la diabetes

1

LA DIABETES

El término *diabetes mellitus* se refiere al conjunto de anomalías biológicas y clínicas que aparecen como consecuencia de un defecto continuado de la acción de la insulina, ya sea por anormalidades o bien de su secreción o de su actividad. En su forma clínica más mayoritaria se trata de la suma de ambos factores.

La alteración más característica producida por la diabetes es en todos los casos el incremento de la concentración de la glucosa en sangre, lo que se conoce como *hiperglucemia*.

Si esta elevación de la glucemia no es corregida convenientemente y adquiere caracteres de cronicidad, se establece la llamada *hiperglucemia crónica*. Ésta representa una grave amenaza para la salud ya que a medio o a largo plazo puede dañar gravemente diversos e importantes órganos, como los riñones, los ojos, los nervios, las arterias y el corazón.

Si el defecto radica en la secreción de insulina y tiene índices muy altos, la situación resulta incompatible con la vida a corto plazo si no se le administra insulina al cuerpo.

Si la alteración radica principalmente en la actividad de la hormona más que en su secreción, las consecuencias a corto plazo suelen ser inaparentes y, en la mayoría de los casos, no se precisa la administración de insulina al menos durante un periodo inicial y generalmente durante mucho tiempo.

La *diabetes mellitus* es una enfermedad extraordinariamente importante, tanto por su gran difusión como por la severidad de las complicaciones que origina. Luchar contra ella es uno de los grandes retos de la medicina en todo el mundo.

TIPOS DE DIABETES

Los factores que pueden dar lugar a diabetes son muy diversos. Según la causa, la diabetes adopta determinadas características específicas y presenta ciertos hechos diferenciales, lo cual justifica su clasificación clínica en diversos tipos.

En la clasificación más reciente se considera que existen cuatro tipos de diabetes, alguno subdividido en numerosas variantes. De entre todos, los más importantes son la *diabetes tipo 2*, la más frecuente, y la *diabetes tipo 1*, la más compleja y grave.

Las restantes modalidades de esta enfermedad son, en realidad, muy minoritarias.

DIABETES TIPO 2

Es el tipo de diabetes que se presenta en la mayoría de casos (85 % o más) y representa casi la totalidad de las formas de diabetes iniciadas a partir de los cuarenta años.

En este caso, las alteraciones de la glucemia tienen una doble causa:

- Un **déficit en la producción de insulina** a consecuencia de la disminución del número de células productoras y por los retrasos y anormalidades de su secreción. Al principio este déficit suele ser muy discreto, lo normal es que se vaya incrementando con el paso del tiempo. Un tratamiento insuficientemente ajustado y poco eficaz acelera la rapidez de este proceso involutivo y a la inversa, un buen tratamiento lo retrasa. Al cabo de muchos años el déficit puede llegar a ser prácticamente total.
- La **resistencia a la insulina**. Esta expresión se refiere a un complejo fenómeno que se produce por diversos mecanismos, consistente en que la insulina encuentra dificultades para desarrollar su actividad, con lo cual ésta queda reducida. Los efectos de esta disminución acaban resultando similares a los provocados por un déficit de producción. Entre las principales causas de la resistencia insulínica cabe destacar **la obesidad** y **el sedentarismo**. De ahí que sea fundamental en el tratamiento de la diabetes tipo 2 rebajar el peso excesivo y no descuidar la práctica de ejercicio físico.

En la aparición de la diabetes tipo 2 tiene una gran importancia el **factor genético**, por lo que es bastante habitual encontrar diversos casos en una misma familia. Este tipo de diabetes suele aparecer cumplidos los cuarenta años; vemos que una destacada característica clínica es la alta frecuencia de casos en los que la enfermedad permanece en estado latente durante un tiempo muy prolongado.

La falta de síntomas que delaten su aparición impide establecer un diagnóstico certero. En la mayoría de los casos su descubrimiento, a veces con años de retraso, es casual y se debe a la realización rutinaria de análisis generales en medicina preventiva o con motivo de cualquier otra enfermedad, a los reconocimientos laborales de empresa, a los análisis preoperatorios, a los reconocimientos para contratar pólizas de seguros, etc. Normalmente no resulta posible establecer la duración de esta latencia.

Los estudios estadísticos consideran que alrededor del 2 % o 3 % de la población adulta es diabética tipo 2 y lo desconoce.

Aunque en principio se considere como una enfermedad benigna, la diabetes tipo 2 que se descuide puede afectar a la salud con tanta gravedad como lo hace la diabetes tipo 1 y llegar a acortar notablemente la vida.

La diabetes tipo 2 amenaza sobre todo la integridad de las arterias de calibre mediano, como las coronarias, las cerebrales y las de las extremidades inferiores. Este daño vascular coincide con el que pueden originar otras entidades patológicas cuyos efectos nocivos también inciden especialmente sobre los vasos sanguíneos. Todas ellas integran un grupo conocido como **factor de riesgo de afectación cardiovascular**. Sus componentes más importantes aparte de la diabetes son la **hipertensión arterial**, la elevación permanente de las concentraciones de **colesterol** y de **triglicérido** en la sangre y el hábito de **fumar**. Menos importantes son la **obesidad**, el **sedentarismo** y el **estrés**.

En el tratamiento de la diabetes tipo 2 no sólo resulta necesario normalizar las alteraciones metabólicas debidas a ésta, sino también evitar descuidar y procurar corregir cada uno de los otros factores de riesgo.

La diabetes tipo 2 puede originar, además de los trastornos arteriales, una grave afectación de la retina conocida como *retinopatia diabética*, que actualmente es la causa más importante de desarreglos graves de la visión y de ceguera.

Puede afectar también gravemente a los riñones, lo que origina la *nefropatia diabética*, y a los nervios provocando la *neuropatia diabética*. Estas complicaciones, que son las más importantes, pueden aparecer en realidad tanto en la diabetes tipo 2 como en la diabetes tipo 1.

DIABETES TIPO 1

Pertenece a un grupo de enfermedades llamadas de autoinmunidad, cuyo factor común es la existencia de una especie de «error» en la actividad de algunos de los mecanismos responsables de la defensa del organismo, con la consiguiente destrucción de las células sanas de ciertos órganos. En este caso las células destruidas son las células beta del páncreas, las únicas capaces de producir insulina.

La destrucción suele ser prácticamente total y, ya que no se puede vivir sin insulina, se hace imprescindible la inyección de la hormona. Todo ello la convierte desde un inicio en *diabetes insulino-dependiente*.

La **insulina** fue descubierta en 1921. Hasta entonces la diabetes tipo 1 era una enfermedad que conducía de forma inexorable a la muerte, que sobrevenía en pocos meses. En la actualidad, la esperanza de vida de una persona con esta dolencia es prácticamente la normal, siempre que reciba un tratamiento correcto.

La diabetes tipo 1 afecta sobre todo a niños, adolescentes

y adultos jóvenes, aunque de hecho puede aparecer a cualquier edad.

A diferencia de lo que sucede en la diabetes tipo 2, los síntomas que se manifiestan son evidentes. Son los siguientes: sufrir una sed intensa (*polidipsia*), un incremento importante de la emisión de orina (*poliuria*), una considerable pérdida de peso (*adelgazamiento*), y una notable fatiga y pérdida de fuerza muscular (*astenia*).

Cuando el déficit de insulina es muy importante puede sobrevenir una situación metabólica muy grave, conocida con el nombre de *coma cetoacidótico*. Previamente se produce una intensa emisión de *acetona* a través de la orina.

La persistencia de una *hiperglucemia crónica*, casi siempre consecuencia de un mal tratamiento, puede dar lugar a las mismas complicaciones (retinopatia, nefropatia, neuropatia, etc.) que hemos descrito en la diabetes tipo 2.

El tratamiento fundamental de la diabetes tipo 1 es la administración correcta de insulina. Se trata de un *tratamiento hormonal sustitutivo*, que será más correcto –y por tanto más eficaz para prevenir y tratar las complicaciones específicas–, cuanto mejor se reproduzca las peculiaridades de la secreción insulínica que se realiza en condiciones fisiológicas. Estudios recientes han demostrado que dichas complicaciones son evitables si el tratamiento es lo suficientemente ajustado.

2

LA DIETA Y LA DIABETES

Ni los grandes avances en el conocimiento de la diabetes ni los importantes progresos conseguidos en el transcurso de los últimos años han cambiado en gran medida el clásico criterio de que «**la dieta es una terapia muy importante, e incluso fundamental, en la mayoría de casos de diabetes**».

Se trata de una medida terapéutica que, bien aplicada, en los casos de **diabetes tipo 2** puede llegar a neutralizar o por lo menos atenuar las consecuencias de la disminución de la tolerancia a la glucosa, corregir las desviaciones ponderales y normalizar las anomalías de los lípidos, factores todos ellos de máxima importancia en la evolución de la enfermedad. Por su parte, en la **diabetes tipo 1** puede ayudar de forma significativa a alcanzar las finalidades del tratamiento.

LA DIETA COMO TRATAMIENTO DE LA DIABETES: ASPECTOS ESPECÍFICOS E INESPECÍFICOS

Ante todo y como ocurre siempre que una dieta es propuesta como tratamiento de una determinada situación patológica, debemos distinguir en ella dos aspectos: el inespecífico y el específico.

- El **aspecto inespecífico** es el común a todas las dietas, pues constituye ante todo un programa de alimentación. Para que una dieta sea considerada correcta ha de cumplimentar por fuerza todas las exigencias nutricionales consideradas normales y convenientemente puestas al día, según las recomendaciones y pautas establecidas en cada momento por los organismos internacionales especializados. Debe aportar toda la energía necesaria en cada caso y no carecer de ninguno de los nutrientes considerados como imprescindibles en la alimentación.

- El **aspecto específico de una dieta** depende de la situación que se pretenda tratar con ella. En una dieta destinada a tratar la diabetes, su aspecto específico es la necesidad de **controlar y limitar en ella su contenido en hidratos de carbono,** tanto en lo referente a su contenido total como al de cada una de las tomas alimentarias en que se fraccione. Esta necesidad específica es lógica, porque cada ingestión de alimentos que contengan hidratos de carbono, en el transcurso de su digestión, va a ir seguida de la transformación de estos hidratos de carbono en glucosa, con la consiguiente absorción intestinal de la misma y de su paso a la sangre. Su irrupción en el torrente circulatorio provocará un *ascenso glucémico postprandial* proporcional a la cantidad de glucosa absorbida y por tanto a la cantidad de hidratos de carbono presentes en la dieta. Así, la altura de la glucemia postprandial depende en buena parte de la composición de la dieta.

ELEVACIÓN DE LA GLUCEMIA POSTPRANDIAL

Un organismo sano responde a cada incremento de la absorción intestinal de glucosa y de su entrada en la sangre con una mayor secreción de insulina de una intensidad más o menos proporcional a la cantidad de glucosa absorbida.

Esta hipersecreción insulínica postprandial persiste mientras dura la fase absortiva de la digestión. Su función es normalizar la concentración de glucosa en sangre que se ha elevado en este periodo postprandial. Tal normalización se consigue al permitir la entrada de la glucosa en los músculos y en el hígado, donde se almacenará en forma de un compuesto llamado glucógeno.

En consecuencia, la intensidad y la duración de la elevación glucémica postprandial, y por tanto, el grado de deterioro que el hecho de comer pueda producir en el equilibrio metabólico dependerá especialmente de dos factores: **la cantidad de hidratos de carbono de la toma ingerida** y **la normalidad de la respuesta insulínica.**

En la persona no diabética, la respuesta insulínica es la normal, lo que significa que va a ser todo lo intensa que convenga. Por tanto, por elevada que sea la cantidad de hidratos de carbono ingerida, el equilibrio metabólico no se va a alterar ya que el adecuado incremento de la secreción insulínica lo va a compensar.

En la persona diabética la situación es muy distinta pues la respuesta insulínica no será la normal. En la práctica, y con referencia a su tratamiento, pueden darse tres situaciones:

- La respuesta insulínica no es la normal pero su grado de alteración es tan discreto que al plantearse el tratamiento no se considera necesaria ninguna medicación para corregir esta leve anormalidad. Con aplicar sólo una **dieta** es suficiente. Es evidente que en este caso la dieta pasa a tener la máxima importancia ya que es el único tratamiento que se instituye. Esta situación es la que se presenta en la mayoría de formas iniciales de la diabetes tipo 2.

• La respuesta insulínica no es la normal y para establecer un grado suficiente de equilibrio metabólico es imprescindible recurrir a la toma de medicamentos, bien para estimular la secreción de insulina o bien a fin de que la insulina segregada no tenga disminuida su capacidad hipoglucemiante.

En este caso, además de cuidar la dieta es preciso adjuntar al tratamiento de la diabetes los denominados *antidiabéticos orales* (fármacos que se administran por vía oral). Sin embargo, la dieta sigue teniendo suma importancia, porque la capacidad de los antidiabéticos orales para normalizar la respuesta insulínica postprandial es muy limitada, y en la mayor parte de los casos dicha respuesta sólo será eficaz si la dieta es la adecuada.

Esta situación es la propia de la mayoría de diabetes tipo 2 cuando ha transcurrido cierto tiempo desde la etapa inicial; se mantiene estable con relativa facilidad durante un periodo bastante largo. Resulta muy normal que, en estos casos, el equilibrio metabólico ofrezca las primeras señales de deterioro importante cuando han transcurrido más de quince años desde que se ha instituido el tratamiento con antidiabéticos orales, si bien la duración de esta fase dependerá de la atención prestada a no descuidar ninguno de los factores necesarios para lograr de forma continuada un buen control metabólico.

Con el transcurso del tiempo van aumentando los problemas para mantener las glucemias dentro de los límites aceptables. Es especialmente característica la dificultad para conservar normal la primera glucemia matinal, la que se determina antes del desayuno; en cambio, los valores que con más facilidad se mantienen normales hasta el último momento suelen ser los determinados al final de la tarde, antes de la cena.

En muchos casos, con los años, llega un momento en que el incremento de las glucemias matinales es tan importante y constante que para normalizarlas se hace necesario incorporar al tratamiento una inyección de insulina de acción retardada administrada por la noche antes de acostarse (dosis *bed time* en el lenguaje anglosajón). Se habla entonces de un **tratamiento mixto** consistente en la asociación de tres factores: la dieta, los antidiabéticos orales y la insulina.

- Esta última situación aparece cuando el organismo ya no responde a la acción de los antidiabéticos orales. En terminología médica se habla de un «fracaso» (fracaso secundario) de estos fármacos. Para normalizar la situación metabólica ya no basta con inyectar insulina de acción retardada en el momento de acostarse para que actúe en las horas nocturnas, sino que se **hacen también imprescindibles las inyecciones de insulina de acción rápida antes de las comidas.**

En este caso, la dieta pierde la trascendencia que tenía en las otras situaciones puesto que la insulina inyectada antes de las comidas cuenta con la capacidad suficiente para corregir la insuficiencia insulínica postprandial independientemente de la cantidad de hidratos de carbono que contenga la dieta. Siempre es posible –al menos teóricamente–, encontrar una dosis de insulina suficientemente eficaz para lograrlo, aunque esto no equivale a que sea siempre fácil conseguirlo.

Esta situación, que es la propia de todos los casos de **diabetes tipo 1** desde su comienzo, es también la etapa final de muchos casos de diabetes tipo 2. De todos ellos se dice que son o que se han convertido en *diabetes insulino-dependientes*.

Afirmar que en estos casos la dieta ha perdido trascendencia no significa ni mucho menos que sea inútil. Aun sin su categoría de factor terapéutico básico, la dieta puede seguir resultando de gran ayuda y hasta en determinadas situaciones de control insulínico difícil, imprescindible, para **facilitar el tratamiento insulínico** y lograr el adecuado control. Cuanto más moderada y regular sea la proporción de hidratos de carbono ingerida, más fácil resultará el tratamiento insulínico.

La dieta es una terapia fundamental en todas las formas de diabetes tipo 2 que no requieren la inyección sistemática de insulina preprandial; aun sin ser fundamental, sigue siendo muy importante en todas las otras formas.

ASPECTOS ACTUALIZADOS DEL TEMA

La tendencia del tratamiento dietético de la diabetes ha consistido siempre en recomendar una restricción de los hidratos de carbono en la alimentación.

Durante muchos años las pautas más corrientes se basaron en una interpretación radical de esta norma y las dietas recomendadas a los diabéticos consistieron en la restricción drástica de los hidratos de carbono. Para compensar tales reducciones, estas dietas eran generosas en el aporte de proteínas y, a veces, también en el de grasas.

Este criterio tan restrictivo se mantuvo hasta que se constataron las consecuencias negativas de su aplicación. Se evidenció que en las diabetes insulino-dependientes dichas dietas provocaban con gran facilidad una peligrosa formación de acetona y, además, que en todo tipo de diabetes las anomalías relacionadas con las grasas podían ser tanto o más perjudiciales que las dependientes sólo de la glucosa. Estas anomalías se incrementaban si las dietas no contenían al menos una proporción moderada de almidones y azúcares.

En su momento se entendió que tampoco era aconsejable un exceso de proteínas. De esta manera, la progresiva constatación y consiguiente corrección de tales errores ha conducido a unos **nuevos criterios sobre la dieta** que en la actualidad se han aceptado ampliamente.

En todo caso se ha aplicado al tratamiento dietético de la diabetes las mismas normas de alimentación con la sola adición de determinadas observaciones y matices, aconsejadas de una forma general a toda la población para intentar convertir su nutrición en un factor importante para conservar la salud, e incluso para incrementarla.

CRITERIOS ACTUALES

Se pueden resumir en los siguientes apartados:

- La cantidad de calorías de la dieta depende de lo que necesite cada persona de acuerdo con su patrón energético individual (el llamado *metabolismo basal*) y su actividad física habitual.

  En las personas con exceso de peso la dieta debe ser hipocalórica, es decir, con cierta restricción del nivel de calorías para intentar corregir al menos gradualmente el defecto ponderal (del peso). Cuando se haya conseguido o cuando se considere ya inútil o inconveniente seguir insistiendo, la dieta pasará a ser normocalórica, esto es, con las calorías adecuadas para mantener el peso del cuerpo. En la práctica es preferible mantener una dieta ligeramente hipocalórica pues aumentan las probabilidades de lograr este objetivo.

- Aproximadamente el 50 % de las calorías de la dieta deben proceder de los hidratos de carbono, aunque en muchas formas de diabetes tipo 2, en las que se pretende evitar o retrasar al máximo el tratamiento insulínico, un 45 % de las calorías de la dieta podría ser el porcentaje adecuado. En realidad, aun manteniendo una cierta limitación, esto implica recomendar a la población diabética un contenido en hidratos de carbono bastante superior al de las dietas antidiabéticas restrictivas clásicas que se solían prescribir.

- Las calorías procedentes de las proteínas no deberían superar un 15-20 % del total lo que implica desaconsejar las dietas hiperproteicas a las que estaban acostumbrados los diabéticos en otros tiempos.

- El resto de las calorías (alrededor de un 30 %) debería ser suministrado por las grasas, aunque de forma condicionada.

  Se procurará que la mayoría de estas grasas sean ricas en ácidos grasos monoinsaturados. Los contienen la mayoría de grasas de origen vegetal y, por tanto, la gran mayoría de los aceites. Es especialmente recomendable el aceite de oliva.

  Se procurará en cambio que los ácidos grasos saturados figuren en muy poca proporción. Los hallamos en la mayoría de grasas de origen animal, a excepción de las procedentes de los pescados.

- Intentaremos que la dieta contenga una cierta proporción de fibra.

- Es preciso procurar que contenga una cantidad importante de vitaminas y minerales que cubra las necesidades diarias del organismo.

- La dieta debe ser rica en sustancias antioxidantes. En la actualidad sabemos que las personas con diabetes tienen mayor necesidad de ellas. Las más conocidas son la vitamina C, la vitamina E y el betacaroteno o provitamina A.

3

ASPECTOS ESPECÍFICOS DE LA DIETA DE LA DIABETES. EL RECUENTO DE LOS HIDRATOS DE CARBONO

La condición más específica que debe cumplir una dieta destinada al tratamiento de la diabetes es controlar y limitar el contenido en hidratos de carbono. Por tanto, la prescripción de este tipo de dieta debe incluir una metódica que haga posible el control y la limitación.

Se trata de un aspecto del tratamiento de la diabetes que en el terreno práctico presenta muchas dificultades, pues no se trata de conseguir el seguimiento de una dieta durante un cierto tiempo, sino de que unas recomendaciones dietéticas queden realmente incorporadas al estilo de vida de la persona diabética.

Para ello es imprescindible que el material educacional destinado a esta finalidad haya sido elaborado con un estilo claramente pedagógico y con una metódica muy simplificada y accesible.

LA INEVITABLE INEXACTITUD DE LA DIETÉTICA PRÁCTICA

En la dietética práctica, cuando se concreta el peso de unos alimentos, se pretende conseguir un seguimiento **aproximado** de la prescripción, y no su total exactitud. En estos casos no se pueden manejar los alimentos como si se tratara de los ingredientes de una reacción química. Es inevitable, por tanto, sacrificar la exactitud en pro de la eficacia. Si decimos, por ejemplo, que un paciente debe ingerir 40 g de pan, no se pretende conseguir que esa persona coma 40 g exactos de este alimento, sino un trozo de pan que pese aproximadamente unos 40 g.

Esta liberalidad en el manejo de las cantidades está necesariamente presente en la elaboración de algunos de sus instrumentos básicos: **las tablas de composición de alimentos y las listas de intercambio.**

Así, cualquier dato concreto que aparezca en estas tablas –por ejemplo, el melón, que contiene un 8% de azúcar– ofrece sólo una información aproximada basada en valores de tipo promedio. En realidad, todo el mundo sabe que hay melones con dulzura de miel y otros cuyo sabor recuerda más bien al del pepino.

Como contrapartida, la tolerancia de estas inexactitudes permite importantes ventajas prácticas, como poder unificar en un solo grupo diversos componentes, pese a saberse que las equivalencias entre ellos no son plenamente exactas, sea en composición o en valor calórico, o renunciar con frecuencia a la precisión que representa la expresión del peso en gramos en pro de utilizar términos más prácticos como los de una pieza, una tajada, un plato pequeño, etc.

LAS TABLAS DE GRUPOS ALIMENTARIOS Y RACIONES

Las tablas de grupos alimentarios y de raciones han constituido los instrumentos básicos empleados tradicionalmente por la mayoría de los países para enseñar a los diabéticos a seguir su dieta. Estas tablas son conocidas como **tablas de equivalencias.**

En la mayoría de las tablas utilizadas hasta el momento, los alimentos aparecen agrupados de acuerdo con su composición, de tal manera que los productos que integran cada grupo sólo se diferencian en la proporción del principal principio inmediato que contienen. A cada grupo se le aplica un nombre genérico: grupo verdura, grupo equivalentes del pan, etc.

Dentro de cada grupo se indica, junto al nombre de cada alimento, el valor en gramos de una **ración alimentaria.** Así, la prescripción de una ración de alimentos de un grupo implica que puede escogerse el alimento que se quiera de entre los que lo integran e ingerir del mismo la cantidad en gramos fijada a continuación de su nombre. Veamos un ejemplo:

Grupo equivalentes del pan

1 ración a escoger entre:

Arroz, 25 g

Garbanzos, 35 g

Harina, 25 g

Pan, 40 g

Pastas, 25 g

Patatas, 100 g

GRUPOS ALIMENTARIOS Y RACIONES

Grupo verdura (1 ración: 10 g de hidratos de carbono)

Subgrupo 1 (1 ración: 200 g)
• Aceitunas • Calabacín • Lechuga • Acelgas • Cardos • Canónigo
• Aguacate • Col • Nabo • Apio • Coliflor • Pepino • Berenjena
• Endibia • Pimiento • Berro • Escarola • Rábano • Borraja
• Espárrago • Setas • Brócoli • Espinacas • Soja germinada
• Calabaza • Hinojo • Tomate

Subgrupo 2 (1 ración: 150 g)
• Alcachofas • Col de Bruselas • Judías verdes • Puerro

Subgrupo 3 (1 ración: 100 g)
• Bulbos de apio • Cebolla • Palmito • Remolacha

Grupo fruta (1 ración: 10 g de hidratos de carbono)

• Pomelo: 250 g • Kiwi: 125 g • Ciruelas: 100 g • Melón: 250 g •
Melocotón: 125 g • Manzana: 100 g • Sandía: 250 g • Albaricoque:
125 g • Pera: 100 g • Fresas: 160 g • Papaya: 125 g • Cerezas: 80 g
• Frambuesas: 150 g • Nísperos: 125 g • Chirimoya: 80 g • Limón: 150 g
• Piña: 125 g • Higos: 60 g • Naranja: 150 g • Nectarina: 125 g • Uva:
60 g • Piñones: 60 g • Mandarina: 150 g • Mango: 125 g • Caqui:
70 g • Pistachos: 60 g • Mora: 125 g • Granada: 125 g • Plátano: 70 g

Grupo frutos secos (1 ración: 10 g de hidratos de carbono)

• Coco: 150 g • Nueces 60 g • Almendras: 60 g • Avellanas: 60 g
• Cacahuetes: 60 g • Piñones: 60 g • Pistachos: 60 g

Grupo equivalentes del pan
(1 ración: 20 g de hidratos de carbono)

• Pan: 40 g • Habichuelas: 35 g (crudas) 100 g (cocidas) • Tostadas: 3 unidades • Garbanzos: 35 g (crudos) 80 g (cocidos) • Patatas: 100 g • Lentejas: 35 g (crudas) 100 g (cocidas) • Arroz: 25 g (crudo) 75 g (cocido) • Maíz: 30 g (conserva) • Pastas: 25 g (crudas) 80 g (cocidas) • Guisantes: 110 g • Sémola: 25 g • Habas: 110 g • Tapioca: 20 g • Castañas: 45 g • Harina: 25 g • Soja (harina): 50 g • Corn-flakes: 20 g

Grupo alimentos proteicos

Subgrupo 1 (1 ración: 40 g)
• Pollo • Ternera • Conejo • Perdiz • Caballo • Pato (magret)
• Pavo • Buey (filete) • Queso fresco • Queso bajo en grasa

(1 ración: 50 g)
• Merluza • Calamar • Rape • Atún • Besugo • Sepia • Bacalao
• Gamba • Rodaballo • Langostino • Salmonete • Lenguado
• Anchoa • Lubina • Caballa • Salmón • Sardina • Toda clase de pescado y marisco

Subgrupo 2 (1 ración: 40 g)
• Pato • Lengua • Butifarra • Cordero • Hígado • Molleja • Cerdo
• Riñones • Menudillos • Buey • Sesos • Embutidos (1 ración 20 g)

Subgrupo 3
• Huevo: 1 unidad • Queso: 30 g • Jamón: 30 g (parte magra) • Fiambres: 30 g

---

Grupo equivalentes de la leche
(1 ración: 10 g de hidratos de carbono)

• Leche: 200 ml • Leche descremada: 200 ml • Yogur: 2 unidades
• Yogur descremado: 2 unidades

Grupo equivalentes del aceite (1 ración)

• Aceite: 10 ml (1 cucharada) • Mantequilla: 12 g • Nata: 25 g •
Margarina: 12 g

Si se prescriben 2 raciones significa que pueden tomarse 80 g de pan o 200 g de patatas, o 40 g de pan y 100 g de patatas, etc.

Existen diversos modelos de tablas de equivalencia, con pequeñas diferencias entre ellos. A continuación exponemos uno de los más utilizados, procedente de la Asociación Americana de Diabetes. En esta tabla, junto al nombre genérico del grupo, se indica también la cantidad de hidratos de carbono (h de c) que tiene cada ración.

SISTEMA DE EQUIVALENCIAS REDUCIDO PARA EL USO DE LAS PERSONAS DIABÉTICAS

La mayor parte de los expertos coincide en que, para tratar la diabetes según la metódica actual –en especial las diabetes insulino-dependientes–, el tipo de tablas que acabamos de ver resulta excesivamente complejo, y conviene simplificarlas para que puedan ser auténticamente útiles.

En la época en que se diseñaron las tablas clásicas se daba mucha importancia a dividir los hidratos de carbono en:

- **Simples** o de absorción rápida, procedentes habitualmente de los alimentos dulces, de la fruta y de la leche.
- **Complejos** o de absorción lenta, procedentes sobre todo de los cereales, leguminosas, hortalizas y verduras.

Se consideraba importante esta diferenciación porque se creía que los hidratos de carbono simples provocaban mayores alteraciones de la glucemia postprandial que los complejos y que por ello convenía que estuvieran claramente diferenciados en las tablas formando grupos separados.

La moderna revisión del tema ha permitido comprobar que, aplicada a la dietética de la diabetes, esta división no es ni importante ni práctica, ya que estas diferencias de efectos sobre las glucemias postprandiales en realidad no existen. Lo único que realmente influye en la intensidad de la desviación de la glucemia postprandial es **la cantidad de hidratos de carbono de cada toma alimentaria,** cualquiera que sea su procedencia.

En las tablas de equivalencias más modernas, los diversos grupos de alimentos portadores de hidratos de carbono –grupos fruta, verdura y equivalentes del pan– se han unificado formando un solo grupo: **grupo de alimentos con hidratos de carbono,** al que a efectos prácticos puede incorporarse incluso el grupo constituido por la leche y sus equivalentes.

Esta simplificación tiene la ventaja de facilitar un cálculo de la cantidad de hidratos de carbono que contiene el menú antes de cada comida, información básica en los actuales tratamientos insulínicos, en los que la dosis de insulina a inyectar antes de cada comida depende del valor de dicho recuento.

Las recomendaciones dietéticas

La simplificación y unificación de la tabla no significa que la antigua y clásica diferenciación entre verduras, frutas y farináceos no sea útil. Lo es, pero desde otro ángulo no relacionado de forma directa con la dosificación de la insulina. Nos referimos a otros aspectos dietéticamente importantes de la alimentación como son:

- La función digestiva: la necesidad de aporte de alimentos que contengan fibra y celulosa.
- La capacidad saciante de la dieta, muy importante en los diabéticos obesos.
- La aportación de minerales, vitaminas y sustancias antioxidantes.

Evidentemente no hay que descuidar estos aspectos, pero a efectos prácticos y en aras de la simplicidad y eficacia de las tablas, se considera que es mejor especificarlos aparte, a modo de **recomendaciones**, pero sin entrar en el juego de equivalencias y raciones.

Por la misma razón, al no estar relacionados con la dosis de insulina, se considera poco oportuno extender el uso del sistema de equivalencias y raciones a la prescripción de los alimentos que no contengan hidratos de carbono (alimentos proteicos y grasas). Se prefiere indicar la cantidad de estos alimentos (carne, pescado, etc.) y sus posibilidades de intercambio de una manera más concreta y práctica en una hoja aparte. De este modo, la tabla de equivalencias se emplea exclusivamente como método de cuantificación de los hidratos de carbono de la dieta.

Tabla de intercambio actualizada

La siguiente tabla es un modelo de intercambio actualizado para uso de diabéticos con la única inclusión de alimentos portadores de hidratos de carbono.

Hoja de prescripción

Al prescribirse una dieta utilizando el sistema de equivalencias, la tabla debe acompañarse de una hoja de prescripción, que no es más que una receta personalizada donde se concreta **el número de raciones a ingerir en cada comida**. Por ejemplo:

Desayuno
3 raciones (1 vaso de leche y 3 tostadas)

Comida
5 raciones (verdura, 100 g patatas, 1 manzana grande)

Cena
5 raciones (80 g garbanzos, 40 g pan, 1 kiwi)

TABLA DE INTERCAMBIO DE ALIMENTOS
(sólo hidratos de carbono)

1 ración = 10 g hidratos de carbono

Alimento	Cantidad y raciones
Verdura y ensalada	1 plato (1 ración)
Pan	40 g (2 raciones)
Tostadas (biscotes)	3 unidades (2 raciones)
Patatas	100 g (2 raciones)
Arroz	25 g (crudo) 75 g (cocido) (2 raciones)
Pasta	25 g (cruda) 80 g (cocida) (2 raciones)
Legumbres	35 g (crudas) 100 g (cocidas) (2 raciones)
Guisantes y habas	100 g (2 raciones)
Maíz (conserva)	30 g (2 raciones)
Harina	25 g (2 raciones)
Cereales (tipo corn-flakes)	20 g (2 raciones)
Castañas	45 g (2 raciones)
Galletas tipo María	20 g (2 raciones)
Azúcar (sacarosa)	20 g (2 raciones)
Leche	1 vaso (1 ración)
Yogures	2 unidades (1 ración)
Melón y sandía	1 tajada (1,5 raciones)
Fresas, fresones, frambuesas, moras	225 g (1,5 raciones)
Naranja, pomelo, melocotón, nectarina, mandarinas, kiwis, albaricoque, manzana y pera (pequeñas)	1 pieza (1,5 raciones)

Níspero, ciruela.	2 piezas (1,5 raciones)
Manzana y pera (grandes) . .	1 pieza (2 raciones)
Piña.	1 rodaja (1,5 raciones)
Cerezas, granada (peso neto)	125 g (1,5 raciones)
Mango, papaya	250 g (2 raciones)
Chirimoya, caqui, higo.	1 pieza (2 raciones)
Uvas	90 g (1,5 raciones)
Plátano	media pieza (1,5 raciones)
Frutos secos	60 g (1 ración)

Teniendo en cuenta que 1 ración = 10 g de hidratos de carbono, la prescripción podría presentarse también en gramos:

DESAYUNO
30 g de hidratos de carbono

COMIDA
50 g de hidratos de carbono

CENA
50 g de hidratos de carbono

En la misma hoja se debe completar la prescripción dietética con las cantidades de alimentos proteicos y de grasas que conviene ingerir, junto con todas las observaciones que sean oportunas.

He aquí un ejemplo de cómo podría ser una prescripción completa:

DESAYUNO
3 raciones de hidratos de carbono
30 g de jamón o queso

COMIDA
5 raciones de hidratos de carbono
150 g de carne (pollo, pavo, conejo, ternera)
o 200 g de pescado (toda clase)

CENA
5 raciones de hidratos de carbono
Pescado o carne como en la comida, o 2 huevos
Aceite: Justo el que se precise para aliñar y cocinar

OBSERVACIONES
Es aconsejable que por lo menos una vez al día el menú incluya verdura o ensalada y también 1 fruta.

ÍNDICE GLUCÉMICO

El índice glucémico es un interesante factor a tener en cuenta, que puede figurar en la dieta a modo de **observación** para recordar que entre los alimentos portadores de hidratos de carbono, aun siendo equivalentes, unos son más recomendables que otros al tener menor tendencia a alterar la glucemia postprandial.

Sería lógico que cantidades equivalentes de alimentos, por ejemplo 25 g de arroz y 25 g de pasta, que contienen exactamente la misma cantidad de hidratos de carbono, 20 g, originaran la misma elevación glucémica al ser ingeridos. Pues no es así: el arroz eleva más la glucemia que la pasta.

De los alimentos que provocan este efecto como el arroz se dice que tienen un alto **índice glucémico**.

Dando el valor 100 a la glucosa, se puede expresar numéricamente el índice glucémico de los alimentos portadores de hidratos de carbono en comparación con la glucosa. Así, por ejemplo, las lentejas tienen un índice glucémico = 37.

Al comer lentejas, la glucemia sólo subirá un 37% de lo que subiría en caso de ingerirse la cantidad equivalente de hidratos de carbono en forma de glucosa.

Esto significa que las personas con diabetes, al escoger entre diferentes alimentos portadores de hidratos de carbono, deben dar preferencia a los productos con un índice glucémico bajo. Por ejemplo, a la pasta sobre el arroz en la comparación mencionada.

Tampoco hay motivos suficientes para que esta preferencia sea tan decisiva como para descartar de modo sistemático los alimentos con índice glucémico alto. Entre otras razones porque se trata de efectos no constantes, con diferencias que a veces pueden ser intrascendentes y con la posible intervención de peculiaridades personales.

Lo más recomendable es que cada persona diabética elabore su propia **tabla de índices glucémicos**, comprobando con autocontroles de glucemia las diferencias entre los alimentos más usuales (arroz, pastas, pan, legumbres, etc.) y cotejando sus propias observaciones con los datos estándar aportados por las tablas.

Tener estos valores en cuenta permitirá que si se ingieren alimentos con índice glucémico alto podrán tomarse medidas correctivas como rebajar la cantidad o aumentar ligeramente la dosis de insulina preprandial si el tratamiento es insulínico. Son detalles que permiten mejorar el equilibrio metabólico.

TABLA DE ÍNDICE GLUCÉMICO		
glucosa, 100	uvas, 64	manzana, 39
puré de patata, 98	plátano, 62	yogur, 36
zanahoria cocida, 92	patatas chips, 61	garbanzos, 36
miel, 87	sacarosa, 59	judías, 36
cereales, 80	maíz, 59	leche, 34
arroz, 70	pasta, 50	guisantes, 33
patatas, 70	boniato, 48	lentejas, 29
pan blanco, 69	zumo de naranja, 46	fructosa, 20
muesli, 66	naranja, 40	germen de soja, 15
verduras y ensaladas, menos de 15		

En esta tabla se observan las diferencias favorables de las verduras, ensaladas, legumbres, guisantes, pastas y la de ciertas frutas, y los resultados negativos del arroz, las patatas y el pan blanco.

RESUMEN
Los alimentos más **desfavorables** por tener el **índice glucémico alto:** • arroz • pan (pan blanco) • patatas • corn-flakes • higos • uvas • plátano.   Los alimentos más **favorables** por tener el **índice glucémico bajo:** • verduras • ensaladas • alubias • garbanzos • lentejas • guisantes.

Conviene aclarar que las cifras de la tabla de índices glucémicos tan sólo son **valores de orientación**, sin ningún rigor científico debido a que pueden existir diversos motivos de variabilidad no calificables, entre ellos factores de orden de idiosincrasia individual. Aun así, orientan de una manera válida en la mayoría de los casos.

Existen también ciertas variaciones en el índice glucémico de un alimento según sus acompañantes en una determinada comida.

En general se da una ligera mejoría del valor del índice si los alimentos no se comen solos, sino acompañados de otros alimentos de tipo proteico o graso. Así, por ejemplo, una misma cantidad de pan provocará más ascenso de la glucemia si se come solo que si se come con una tortilla.

4

LA DIETA EN LA DIABETES
TIPO 1

No existe ningún tipo de dieta que se considere característica y específica de la diabetes tipo 1. La composición de una dieta destinada a quien presenta esta forma de diabetes no tiene por qué ser diferente de la que se prescribiría a cualquier persona no diabética con parecidas características somáticas y similar actividad física.

Sin embargo, hay un hecho diferencial; en la diabetes tipo 1, la inevitable relación de la dieta con el esquema de administración de insulina obliga a incluir forzosamente en ella algunas **condiciones**, si bien no están relacionadas en realidad con su composición sino con la distribución de algunos de sus componentes.

La clásica limitación de la cantidad de hidratos de carbono en cada toma alimentaria recomendada en la dietética de la diabetes para compensar una defectuosa secreción de insulina postprandial o su carencia total no es aquí obligada por el hecho de que **en una diabetes tipo 1 bien tratada no hay razón para que tenga que existir tal reducción de la actividad insulínica postprandial.**

La cuestión clave es que la dosis de insulina de acción rápida inyectada antes de cada comida sea la adecuada o la necesaria para metabolizar los hidratos de carbono ingeridos.

El hecho de que la limitación de los hidratos de carbono en la dieta no sea imprescindible, no significa que no sea útil. Puede serlo por la simple razón de que si en la dieta la proporción de hidratos de carbono se mantiene moderada y regular, **es bastante más fácil manejar la insulina.** Hay algunas ocasiones en las que el manejo de esta hormona es, por diversas circunstancias, tan difícil que ayudarse con la dieta representa un gran alivio.

PROGRAMACIÓN DE LA DIETA

La prescripción de una dieta equilibrada y correcta destinada a una persona con diabetes tipo 1 sigue la misma normativa utilizada para la elaboración de cualquier plan de alimentación normal:

- Escoger la cifra de calorías que se considere apropiada para la persona a quien vaya destinada, según su peso y su actividad física.
- Procurar que el 50-55% de dichas calorías proceda de los hidratos de carbono administrados.
- Procurar que un 15-20% de las calorías proceda de las proteínas.
- Que las calorías restantes procedan de las grasas, tratando además de que la mayoría de ellas sean de origen vegetal.

Ejemplo de dieta

Supongamos que la persona con diabetes tipo 1 es adulta, pesa 72 kg y tiene una actividad física discreta.

- Para un sencillo cálculo orientativo de la energía necesaria se puede utilizar el recurso de multiplicar 25 kcal por cada kg de peso:

  25 por 72 = 1.800 kcal (si su actividad física fuera más importante su peso debería multiplicarse por 30 kcal o más).

- Para calcular que el 50 % de estas calorías (900 kcal) se suministran como hidratos de carbono, se dividirá por 4 (4 son las kcal que libera la combustión de 1 g de hidratos de carbono):

  900 / 4 = 225 g de hidratos de carbono por día.

- Para calcular que el 20 % de las calorías (360 kcal) procedan de las proteínas, dividir de nuevo por 4 (4 son las kcal que libera la combustión de 1 g de proteínas):

  360 / 4 = 90 g de proteínas por día.

- Las restantes calorías (540 kcal) procederán de las grasas. Se dividen por 9:

  540 / 9 = 60 g de grasa por día (9 son las kcal que libera la combustión de 1 g de grasa)

Es decir, que esta persona precisaría de una **dieta de 1.800 kilocalorías** con la siguiente composición:

- 225 g de hidratos de carbono
- 90 g de proteínas
- 60 g de grasas

Un ejemplo de dieta con esta composición podría ser el siguiente:

DESAYUNO
un vaso de leche
100 g de pan
30 g de jamón
1 naranja

COMIDA
un plato de ensalada
75 g de pasta
1 bistec de 200 g
1 manzana
aceite necesario para aliñar y cocinar

CENA
un plato de verdura
200 g de patata
20 g de pan
200 g de pescado
1 melocotón
aceite necesario para aliñar y cocinar

Se trata de un menú estándar sin ninguna especificidad y en nada diferente al que se podría prescribir a una persona no diabética. La nota diferencial la puede dar en todo caso el que se indique la conveniencia de distribuir los hidratos de carbono contenidos en la dieta de una forma muy determinada.

PECULIARIDADES

Estas peculiaridades no afectan a la composición de la dieta sino a la distribución de sus nutrientes, que depende del esquema de administración insulínica:

Distribución de los hidratos de carbono.
Fraccionamiento de las tomas

Como norma general, en la diabetes tipo 1 conviene distribuir los hidratos de carbono en tres tomas: desayuno, comida y cena.

Dado que en el tratamiento de esta diabetes más generalizado y acreditado en la actualidad cada toma alimentaria debe ir precedida, como norma básica, de una inyección de insulina de acción rápida, intercalar un segundo desayuno a media mañana o una merienda a media tarde complica bastante el esquema terapéutico, pues exige añadir dos inyecciones al programa de insulinización.

Como es natural, si la persona diabética no tiene inconveniente, no existe ningún problema en fraccionar; se trata de una práctica habitual en portadores de bombas de insulina, ya que dicho instrumento permite introducir la insulina suplementaria sin necesidad de nuevas inyecciones. Si no se es portador de bomba, es preferible continuar con las tres tomas de alimento al día sin necesidad de incrementar el número de inyecciones.

La supresión de los suplementos alimentarios a media mañana y a media tarde es una norma que a veces sorprende a las personas diabéticas insulino-dependientes. Lo suelen aceptar con dificultad, especialmente los que llevan muchos años tratándose y cuyas tomas constituyen un hábito muy consolidado. Los antiguos tratamientos insulínicos se basaban en dosis altas de insulinas retardadas administradas dos veces al día, con lo que el segundo desayuno y la merienda eran prácticamente imprescindibles para prevenir hipoglucemias. Son muchas las personas que, en realidad, aún siguen este sistema; si no desean cambiar de tratamiento lo correcto es que mantengan estos suplementos.

Otras medidas útiles relacionadas con la distribución de los alimentos

En la dieta de la diabetes tipo 1 se presentan algunas cuestiones relacionadas con la distribución de los alimentos que conviene recordar:

- No supone ninguna amenaza para el correcto control metabólico realizar una pequeña toma alimentaria a media mañana o a media tarde, siempre que se trate de alimentos exclusivamente proteicos, con muy poca grasa o sin ella: una porción de queso sin grasa, una loncha de fiambre de pechuga de pavo, una clara de huevo duro, etc. Estas tomas ayudan a soportar la sensación de hambre que puedan experimentar quienes tenían el hábito de consumir algún alimento entre comidas.
  Estas medidas son también útiles para aquellas personas cuyo problema no radica en pasar hambre entre horas, sino que forman parte de un colectivo (colegio, grupos de trabajo, etc.) que tiene el hábito de consumir algún tentempié a media mañana o durante la tarde.
- Ocurre con frecuencia que si en estos refrigerios entre comidas el alimento proteico va acompañado de una cantidad muy pequeña de alimentos portadores de hidratos de

carbono, también se tolere bien y pueden servir para prevenir una posible hipoglucemia.
De todos modos es una tolerancia fácil de controlar.

- En los casos en los que el intervalo entre desayuno y comida o entre comida y cena sea muy largo –algo habitual cuando se trabaja con horarios intensivos– lo más eficaz es acortar la distancia entre comidas con la introducción fija de un suplemento que contenga hidratos de carbono, a media mañana o a media tarde, precedido de la consiguiente dosis de insulina de acción rápida. Este sistema es más eficaz aunque comporte inyectarse una vez más.

Recuento de los hidratos de carbono
El tratamiento dietético actual de la diabetes tipo 1 no exige que el contenido de hidratos de carbono esté limitado pero sí que esté controlado.

Las técnicas más actuales de insulinización se basan en **determinar la dosis de insulina rápida preprandial según la cantidad de hidratos de carbono a ingerir.**

Para sistematizar dicha proporción, se establecen normas que relacionan cuantitativamente las unidades de insulina a inyectar con los gramos de hidratos de carbono a ingerir. Una de las más conocidas recomienda inyectar una unidad de insulina por cada 10 g de hidratos de carbono consumidos si se trata de la comida y de la cena, y una unidad de insulina por cada 5 g de hidratos de carbono si se trata del desayuno. Esta diferencia se debe a que a la hora del desayuno la insulina suele ser menos eficaz, pues existe una cierta resistencia a su actividad hormonal.

Esta norma es válida en la mayoría de los casos, siempre con una finalidad orientativa. Lo mejor es buscar la personalización, es decir, que cada paciente establezca su propia relación hidratos de carbono-insulina mediante la sencilla técnica de ir probando diferentes dosis con una minuciosa comprobación de los resultados, empleando para ello el autocontrol de las glucemias realizado antes y después de las comidas.

Una de las ventajas de la regularidad en el contenido de hidratos de carbono de la alimentación cotidiana es que permite inyectar diariamente la misma (o casi) dosis de insulina, reservando el cálculo de una dosis nueva sólo para aquellas ocasiones en las que la comida se salga de la normalidad –comidas extraordinarias, menús especiales–, tanto para más como para menos.

Conviene adquirir el hábito de hacer recuentos rápidos de los hidratos de carbono presentes en los menús

Si lo que pretende una persona con diabetes tipo 1 es mantener permanentemente una buena situación metabólica sin renunciar a una casi total libertad en la elección de los menús, la solución es ejercitarse en el **rápido cálculo aproximativo de la cantidad de hidratos de carbono** presentes en los alimentos que va a ingerir.

Aunque en principio esto pueda parecer complicado, a la práctica no lo es, e incluso resulta sencillo aprender en poco tiempo.

Para lograrlo tan sólo se requiere manejar una **tabla de equivalencias** de alimentos portadores de hidratos de carbono, parecida a la mencionada en el capítulo anterior, y una **balanza de cocina.** La lista de los alimentos portadores de hidratos de carbono habituales de cada persona no suele ser muy larga y lo normal es que siempre se repitan los mismos alimentos, la mayoría de las veces en ciclos de 3 o 4 días.

Si la persona diabética, aprovechando momentos apropiados, comprueba en la cocina o en el comedor de su casa el peso de la cantidad habitual de los alimentos portadores de hidratos de carbono que acostumbra a ingerir, en poco tiempo adquirirá un grado suficiente de educación visual acerca de la relación peso-volumen de dichos alimentos. Con esta base podrá realizar en todo momento una apreciación aproximada de lo que pesan los alimentos que estén o vayan a estar en su plato. Gracias a la tabla de equivalencias conocerá la cantidad de hidratos de carbono (en gramos o en raciones) que contienen los alimentos que ha pesado y por tanto los que contienen o van a contener sus comidas habituales. Después ya sólo se trata de memorizar un número escaso de datos.

La adquisición de esta habilidad le resultará de gran rentabilidad para el buen mantenimiento del equilibrio metabólico en el momento de comer, ya que le permitirá a la vista del menú calcular rápidamente la cantidad aproximada de hidratos de carbono que va a ingerir y decidir con este dato la dosis de insulina que le conviene inyectar. Y si, como sucede con frecuencia, ya se hubiera inyectado la insulina antes de leer el contenido del menú, su educación visual le ayudará a regular la cantidad de alimentos con hidratos de carbono que deberá comer para mantener una buena relación con la dosis inyectada. Además siempre existirá el recurso de añadir un pequeño suplemento insulínico al terminar de comer si ello es conveniente.

Aplicar correctamente esta sencilla técnica supone poner en duda muchas de las restricciones dietéticas que tienen los diabéticos y la posibilidad de conseguir un notable aumento en la calidad de vida, al menos desde el punto de vista gastronómico.

**La moderación y la regularidad en las comidas
facilitan el tratamiento insulínico**

Aunque este nuevo estilo de tratamiento insulínico permita una gran libertad al comer, conviene no olvidar que adoptar una postura moderada y regular en la alimentación tiene la compensación de que el manejo de la insulina y el logro de buenos resultados acostumbran a ir de la mano.

Prestar atención al índice glucémico

Aunque no esté considerado como un factor plenamente determinante, es muy útil prestar atención al índice glucémico de los alimentos. Con ello se realizarán algunas pequeñas correcciones de la dosis insulínica, con clara rentabilidad de cara a los resultados. Un claro ejemplo, que muchas personas con diabetes tipo 1 habrán podido comprobar con frecuencia, es el pequeño pero significativo incremento de la dosis que conviene hacer los días en que el plato principal de la comida es el arroz aunque no se haya excedido la cantidad prescrita en la dieta.

Conviene pues repasar de vez en cuando la tabla de índices glucémicos y recordar las diferencias más importantes.

Situaciones que exigen determinados cambios de alimentación

Determinadas situaciones relacionadas con la alimentación exigen posturas especiales en la confección de la dieta. Son las siguientes:

Dieta hipocalórica de adelgazamiento

Un aspecto que suele presentarse con menor frecuencia en la diabetes tipo 1 que en la diabetes tipo 2 es la necesidad de corregir un exceso de peso mediante una dieta hipocalórica de adelgazamiento.

En estos casos conviene renunciar a las curas excesivamente rápidas, muy difíciles de tolerar en la insulino-dependencia, y buscar la pérdida ponderal de una forma lenta y continuada. Las reducciones calóricas de la dieta se deben realizar sobre todo **mediante la reducción de la grasa** (y del alcohol si su ingestión figuraba entre los hábitos de la persona que desea adelgazar).

Pueden obtenerse buenos resultados reduciendo la cantidad de aceite a un mínimo, por ejemplo, a una cucharada por comida, y escogiendo los alimentos proteicos sólo entre aquellos que tienen muy poca grasa, como el pescado blanco, las pechugas de pollo y de pavo, la carne de conejo, la clara de huevo, los quesos sin grasa, y entre las carnes rojas, en especial los solomillos.

En cambio, no conviene exagerar las restricciones de hidratos de carbono por el riesgo de provocar hipoglucemias y predisponer a la cetosis (aumento de la acetona con incremento de su emisión por la orina), lo cual se produce si el contenido de hidratos de carbono de la dieta es demasiado bajo.

Dieta hiperglucídica del deportista

Una situación de signo inverso a la anterior es la dieta de los deportistas, refiriéndonos en este caso a personas que practican el deporte con gran intensidad, de manera que su preparación exige la práctica continuada de ejercicios físicos duros y de larga duración. Es el caso de los maratonianos, ciclistas, atletas de fondo y otros muchos deportes que, con frecuencia, son de alta competición y exigen dedicación profesional.

El gran consumo energético que precisa tal situación

obliga a incrementar notablemente no sólo las calorías de la dieta, sino también la proporción de calorías dependiente de los hidratos de carbono.

La necesidad calórica suele ser de entre 35 y 40 kcal por kg de peso (2.500-3.000 kcal por día) o incluso más. De estas calorías es recomendable que la proporción suministrada por los hidratos de carbono sea de un 60 o 65 %, lo que implica que se precisen más de 400 o 450 g de hidratos de carbono diarios.

Se aconseja que la mayoría de estos alimentos portadores de hidratos de carbono se cocinen de una forma que sea muy fácil de digerir. Al escogerlos se procurará que su índice glucémico no sea excesivamente alto. Son válidos a estos efectos la pasta hervida (sin salsas que contengan grasas) y las frutas o zumos de fruta.

En los casos de los que hablamos se aumentarán de modo considerable las dosis habituales de insulina rápida preprandial. Para ajustarlo de forma adecuada conviene realizar un estudio previo consistente en ir haciendo pruebas con cantidades progresivamente crecientes tanto de estos alimentos como de insulina hasta hallar las dosis precisas que permitan metabolizar correctamente las altas cantidades de hidratos de carbono ingeridas.

Es imprescindible escoger para inyectar antes de cada toma de alimentos (por lo menos tres horas antes del inicio de la práctica de ejercicio) la insulina de acción más rápida y de más corta duración que exista en el mercado farmacológico (en la actualidad es el análogo insulínico *lispro*) para que al comenzar la actividad física la concentración insulínica haya disminuido hasta un nivel suficientemente bajo para no provocar hipoglucemias.

Con independencia de ello, los deportistas con diabetes tipo 1 han de aprender a modificar de forma conveniente todo su programa insulínico basal con una adecuada disminución de las dosis de insulina retardada.

Dieta en caso de complicaciones o de enfermedades asociadas

La presencia de complicaciones de la misma diabetes, tales como la nefropatía diabética o la existencia de ciertas enfermedades asociadas, puede exigir también algunos cambios en la dieta que no describiremos aquí porque ello sobrepasaría los objetivos de este libro.

RESUMEN

Lo más importante es saber adaptar la dosis de insulina rápida preprandial al contenido en hidratos de carbono de la toma alimentaria a ingerir. Para ello es muy útil ejercitarse en el cálculo rápido de los hidratos de carbono de los menús utilizando tablas adecuadas.

Por lo demás, la alimentación del diabético tipo 1 no tiene por qué ser diferente de la que consumen las personas no diabéticas aunque es importante que adquieran el hábito de no ingerir alimentos portadores de hidratos de carbono fuera de horarios.

La metódica actual permite una amplia libertad gastronómica aunque el comer con regularidad y moderación hará que el tratamiento insulínico sea mucho más fácil.

5

LA DIETA EN LA DIABETES TIPO 2

En el tratamiento de la diabetes tipo 2 la dieta tiene tanta importancia que, por lo menos durante un periodo que suele ser muy largo, ha de considerarse como su principal elemento terapéutico. Su acción es aún más eficaz si va asociada a la práctica regular de cierto grado de actividad física. Por eso el primer tratamiento que normalmente se prescribe en este tipo de diabetes es el de **dieta-ejercicio físico.**

Sólo cuando la situación metabólica ha alcanzado tal grado de deterioro que el equilibrio glucémico únicamente se mantiene gracias a la ayuda de inyecciones preprandiales de insulina, la dieta pierde parte de su protagonismo puesto que la insulina pasa a ser el tratamiento fundamental. Esta situación puede tardar muchos años en presentarse o tal vez no llegará nunca.

IMPORTANCIA DE CORREGIR EL EXCESO DE PESO

Más del 80% de los diabéticos tipo 2 tienen exceso de peso en el momento del diagnóstico. De no haber sido así es muy probable que la diabetes hubiera tardado años en detectarse.

El sobrepeso interviene de forma decisiva en lo que se denomina *patogenia de la enfermedad*, es decir, en su mecanismo causante, al provocar un incremento de la resistencia a la insulina.

La primera estrategia terapéutica que se aconseja es intentar restablecer la normalidad del peso en busca de una posible reversibilidad de la situación. Aunque en bastantes ocasiones resulta irreversible, al menos se tiene la certeza de que se logrará una gran mejoría. En consecuencia, el primer tratamiento que se prescribe en la mayoría de casos de diabetes tipo 2 es **una dieta de adelgazamiento.**

Esta dieta no tiene por qué ser muy diferente de las que se suelen prescribir a las personas obesas no diabéticas. En esta etapa de la enfermedad cabe emplear gran parte de los recursos recomendados en el tratamiento de la obesidad.

El criterio predominante en la actualidad es la preferencia de una dieta de adelgazamiento que no sea excesivamente restrictiva, tratando de evitar las reducciones ponderales demasiado rápidas. Es bien sabido que los adelgazamientos con pérdida de muchos kilogramos en poco tiempo son, en la mayoría de los casos, a costa de una pérdida importante de la masa muscular. Con frecuencia, estas dietas desencadenan reacciones psicológicas negativas que pueden dificultar posteriormente el tratamiento dietético definitivo para combatir la diabetes.

Conviene introducir de inmediato una labor educacional que permita a la persona afectada adquirir unos nuevos hábitos dietéticos.

LAS DIETAS HIPOCALÓRICAS

En la fase primera tras el diagnóstico de la enfermedad suelen seguirse dietas hipocalóricas moderadas, de unas 1.200 kcal, con el objetivo de conseguir una pérdida promedio de unos 2 kg por mes. La persona diabética constatará que este ritmo suele ser suficiente para normalizar progresivamente las cifras de glucemia.

Ejemplo de dieta de 1.200 kcal:

DESAYUNO
Un vaso de leche desnatada
Café a voluntad
40 g de pan
Una porción (unos 30 g) de queso sin grasa

COMIDA
Verdura o ensalada a voluntad
100 g de patatas o 40 g de pan
125 g de pechuga de pollo o pavo o un filete de ternera de 100 g
Una pieza de fruta
Una cucharada de aceite para toda la comida

MERIENDA
1 yogur desnatado

Cena
Verdura o ensalada a voluntad
40 g de pan
150 g de pescado blanco
Una pieza de fruta
Una cucharada de aceite para toda la cena

Conviene suplementar la dieta con algún preparado farmacológico que aporte vitaminas y minerales. Se recomienda beber abundante agua.

Aunque la prescripción de una dieta moderada, al estilo de la expuesta, sea la norma general, en determinados casos convendrá escoger dietas más bajas en calorías a fin de obtener resultados más rápidos. Sin duda, es imprescindible valorar con profundidad las circunstancias de cada paciente.

Para prevenir posibles desánimos que puedan resultar trascendentes, la persona diabética que vaya a seguir el tratamiento adelgazante debe tener conciencia de que la dieta que va a iniciar **no es propiamente la dieta que necesita su diabetes** sino sólo **un tratamiento preparatorio previo** y, por tanto, de carácter **transitorio**. Mejor que esta fase del tratamiento no se alargue demasiado, su duración recomendable es de entre 4 y 7 meses.

En esta fase es preferible no adjuntar a la dieta pastillas antidiabéticas cuyo mecanismo de acción consiste en estimular la secreción de insulina. Aunque la glucemia desciende mucho más rápido con su uso, esta medicación tiene el inconveniente de frenar el adelgazamiento pudiendo originar peligrosas hipoglucemias (es decir, descensos anormales de la glucemia).

En cambio, hay otra clase de pastillas antidiabéticas que actúan reduciendo la resistencia a la insulina, como por ejemplo las denominadas *biguanidas*, que sí pueden resultar útiles ya que ni frenan el adelgazamiento ni producen hipoglucemias. Su administración está sobre todo indicada cuando se constata una cierta dificultad en el descenso de las glucemias sólo mediante la dieta, que a veces puede producir inquietud en la persona afectada.

La auténtica **dieta de la diabetes tipo 2** se prescribe a las personas que padecen este tipo de diabetes y que no tienen un significativo exceso de peso. También en todos los demás casos, al darse por concluido el tratamiento adelgazante, por haberse conseguido total o parcialmente sus objetivos, o porque se considere inadecuado insistir más en él o incluso comenzarlo.

El objetivo es que esta dieta definitiva de la diabetes tipo 2, que en realidad es una **dieta de mantenimiento,** dure un periodo de tiempo muy largo, a ser posible toda la vida de la persona. Si la diabetes acaba convirtiéndose en una forma totalmente insulino-dependiente es posible que entonces convenga otro tipo de dieta, tal como se ha comentado en el capítulo anterior.

La dieta de mantenimiento o auténtica dieta de la diabetes tipo 2

Sus principales características son:
- Ser normocalórica o ligeramente hipocalórica. Desde el punto de vista energético ha de estar situada en la misma frontera o levemente por debajo de las necesidades calóricas mínimas de la persona.

- Limitar sin exagerar su contenido en hidratos de carbono. El criterio predominante es que los hidratos de carbono aporten entre un 45 y 50 % de las calorías de la dieta.
- Su contenido proteico debe aportar entre un 15 y 20 % de las calorías, como en las dietas recomendadas a cualquier persona no diabética.
- El aporte energético restante (alrededor de un 30 %) procederá de las grasas. La proporción de grasas que contengan ácidos grasos saturados, que suelen ser las grasas de origen animal (excepto las del pescado) y algunas pocas de origen vegetal (como los aceite de palma y de coco) tiene que ser muy restringida.

Ejemplo de dieta de mantenimiento

En este ejemplo programamos una dieta para una persona adulta, mujer, con un peso de 55 kg y un estilo de vida moderadamente sedentario.

- Como orientación previa precisará unas 1.265 kcal (23 kcal por kg de peso).
- El 45 % de estas calorías (570 kcal) han de ser suministradas como hidratos de carbono. Como cada g de hidrato de carbono en el proceso de combustión libera 4 kcal, para determinar la cantidad de hidratos de carbono que se deben ingerir diariamente, se dividirán estas 570 kcal entre 4: **570 : 4 = 142 g de hidratos de carbono /día.**

Podemos hacer la siguiente distribución de dichos hidratos de carbono (teniendo en cuenta que en la diabetes tipo 2, al contrario de lo que sucede en la dieta de la diabetes tipo 1, suele ser útil el aplazar pequeñas cantidades de hidratos de carbono a media mañana y a media tarde).

- Desayuno: 25 g
- A media mañana: 10 g
- Comida: 50 g
- Merienda: 7 g
- Cena: 50

El 20% de las calorías (253 kcal) han de ser aportadas por las proteínas. Como cada g de proteínas al combustirse libera 4 kcal hay que dividir las 253 kcal entre 4 para saber la cantidad de proteínas que ha de ingerir diariamente: **253 : 4 = 63 g de proteínas /día.**

Las restantes calorías (442 kcal) se han de suministrar como grasa: Como cada gramo de grasa al combustirse libera 9 kcal hay que dividir las 490 kcal entre 9 para saber la cantidad de grasa que ha de ingerir diariamente: **442 : 9 = = 49 g de grasa /día.**

En fin, la composición de la dieta de 1.265 kcal sería la siguiente (redondeando las cifras):

140 g de hidratos de carbono

60 g de proteínas

50 g de grasas

Ejemplo de dieta con esta composición:

DESAYUNO

un vaso de leche desnatada

3 tostadas

A MEDIA MAÑANA
1 kiwi

COMIDA
ensalada
50 g de pasta
pechuga de pollo (150 g)
1 naranja
aceite necesario para aliñar

MERIENDA
1 yogur

CENA
Verdura
100 g de patata hervida
40 g de pan
150 g de pescado
1 melocotón
aceite necesario para aliñar

Con bastante frecuencia la cantidad de hidratos de carbono que contiene este tipo de dieta en comida y cena (65 g en cada toma) resulta excesiva a causa del bajo nivel de la capacidad de actividad insulínica postprandial. En estos casos resulta más eficaz una dieta con una cantidad de hidratos de carbono menor (algo menos de 50 g de hidratos de carbono por comida), como en el siguiente ejemplo:

COMIDA
ensalada
40 g de pan
pechuga de pollo (150 g)
1 naranja
aceite necesario para aliñar

CENA
verdura
100 g de patata
150 g de pescado
1 melocotón

Si la dieta provoca pérdida de peso se incrementará la cantidad de aceite o, muy ligeramente, la cantidad de hidratos de carbono en tomas de media mañana y/o de media tarde, siempre que ello no provoque ascensos de la glucemia preprandial.

Toda dieta más rebajada en hidratos de carbono, aunque el diabético la tolere, será incorrecta y no debe utilizarse. En definitiva, la vigilancia periódica del peso y el autocontrol suficiente de las glucemias pasan a ser factores definitivos para ir haciendo los oportunos retoques en la dieta prescrita.

6

OTRAS CONSIDERACIONES

LA ELECCIÓN DE LOS ALIMENTOS PROTEICOS

Aunque sustancias como el **colesterol** y los **ácidos grasos saturados**, tan relacionadas con la oclusión de las arterias y la arteriosclerosis, pertenecen químicamente al grupo de las grasas, la causa más frecuente de su incremento en la sangre no suele ser la ingestión de grasas sino la incorrecta elección de los alimentos proteicos. Su puerta de entrada más habitual la constituyen aquellos alimentos cuyo componente fundamental son las proteínas a la vez que son portadores de una cierta proporción de grasa. Nos referimos a los quesos, la carne, los productos cárnicos y los huevos.

El consumo de **queso** se ha incrementado notablemente en nuestro país durante los últimos años sobre todo por la buena acogida obtenida por los importados desde Francia. El contenido de ácidos grasos saturados es muy alto en la mayoría de los más populares: roquefort, camembert, emmental, brie, chedar, parmesano, variedades de manchego, etc.

Sin ser del todo despreciable, la proporción es mucho

menor en los **quesos frescos**. No hay duda de que dietéticamente la mejor opción la ofrecen los llamados quesos «de régimen» o quesos rebajados en grasa.

Entre las **carnes rojas,** la menos recomendable es la de
cordero. Cabe destacar también la alta proporción de colesterol existente en las **vísceras** –riñones, hígado, etc.– y en
toda clase de **patés**.

Los **embutidos** tienen un alto contenido en ácidos grasos
saturados y resultan especialmente peligrosos por su gran popularidad y por lo generalizado que se halla en la actualidad
su consumo en nuestro país. Las tímidas iniciativas llevadas
a cabo por algunas empresas especializadas que tratan de
ofrecer productos más saneados, como los **embutidos de pechuga de pavo y de pollo,** son encomiables y deberían tener
más apoyo y divulgación.

El contenido en ácidos grasos saturados es algo menor en
el **jamón** (parte magra) sobre todo si se trata de **jamón hervido,** aunque no es recomendable abusar de él.

Como es bien sabido, el **huevo** es uno de los alimentos
proteicos más ricos en colesterol. El problema radica exclusivamente en su **yema,** ya que la clara está totalmente libre
de esta grasa, que constituye un alimento proteico con un
0 % de colesterol.

¿Cuáles son los alimentos proteicos más recomendables?
En el momento de decidirse entre un plato y otro, la persona con diabetes tiene las mejores opciones en las carnes blancas como el **pollo,** el **pavo,** el **conejo,** la pechuga
o «magret» de **pato** y las carnes procedentes de la **caza.**
Entre las carnes rojas, las más recomendables son las pie-
zas magras de la ternera como el **solomillo** y la carne de **caballo.**

En cuanto al pescado es válido todo tipo de especies, sea **pescado blanco o pescado azul.** Los crustáceos, en especial la langosta, tienen una significativa proporción de colesterol. Los otros mariscos, como ostras, almejas y mariscos similares tienen poco colesterol aunque en grado superior al pescado.

Entre los alimentos vegetales, las **legumbres** son una sana fuente de proteínas, absolutamente libre de ácidos grasos saturados y de colesterol.

Todas las recomendaciones referentes a vigilar la entrada a través de la alimentación de ácidos grasos saturados y de colesterol son válidas para cualquier programa de alimentación sana.

No obstante, su importancia ha de valorarse mucho más cuando están presentes alguno o algunos de los denominados **factores de riesgo cardiovascular.** Junto a la diabetes —y especial la diabetes de tipo 2— destacan la hipertensión arterial, el consumo de tabaco, la obesidad, el sedentarismo excesivo y el estrés continuado. También hay que valorar la existencia de antecedentes familiares de enfermedades cardio-vasculares que hace probable que se sea portador de un factor genético que predisponga a ellas.

GRASAS

Algunos alimentos compuestos exclusivamente por grasas de origen animal, como la **mantequilla** y la **nata,** deben excluirse de la dieta del diabético. El enfermo también debe evitar cocinar con grasas como la **manteca de cerdo.**

Un alimento especialmente peligroso es la **crema de leche**, presente en platos sofisticados y de alto nivel gastronómico y en cierto tipo de sopas presentadas como **cremas de verduras** (vichysoise, etc.).

El hábito de la **bollería** suele resultar en realidad más perjudicial para el diabético por sus grasas ricas en ácidos grasos saturados que por su contenido de harina y azúcar que, al fin y al cabo, podrían incluirse en las listas de intercambio de los hidratos de carbono.

ALGUNOS ALIMENTOS CON PROPORCIÓN ALTA DE COLESTEROL

Cantidad de colesterol en mg por cada 100 g de producto ingerido

Sesos: 2.000	Langosta: 200	Queso emmental: 110
Yema de huevo: 1.300	Gambas: 170	Crema de leche: 110
Foie gras: 380	Mahonesa: 150	Nata: 109
Caviar: 300	Bollería: 148	Galletas María: 107
Ostras: 240	Jamón serrano: 125	Queso roquefort: 100
Mantequilla: 240	Rostbeef: 120	Salchichón: 85

(comparación: leche semidesnatada 7)

Conviene recordar que el contenido en colesterol en la alimentación diaria no debería alcanzar la cifra de **300 mg**.

ALGUNOS ALIMENTOS CON PROPORCIÓN ALTA DE ÁCIDOS GRASOS SATURADOS

Cantidad de ácidos grasos en gramos por cada 100 g de producto ingerido

Mantequilla: 50	Queso emmental: 17	Embutidos: 10
Manteca de cerdo: 42	Queso camembert: 16	Yema de huevo: 9
Crema de leche: 21	Queso de cabra: 16	Carne de cordero: 8
Queso roquefort: 21	Foie gras: 12	Jamón serrano: 7
Queso azul: 19	Galletas María: 11	

(comparación: merluza: 0,2)

Los ácidos grasos saturados presentes en dietas como la de la diabetes tipo 2 no deberían sobrepasar los **9 g /día**.

Observando con atención las listas de alimentos portadores de colesterol y ácidos grasos saturados y valorando las cifras que aportan desde un ángulo positivo se deduce que es posible incluir en la dieta alimentos de estas listas con la condición de que sea en muy **pequeñas proporciones**. Este tipo de condición es muy frecuente en dietética: sucede con el vino, la sal, los condimentos, etc.

LOS ALIMENTOS DE RÉGIMEN

Cabe suponer que los nuevos criterios vigentes sobre el contenido en hidratos de carbono de la dieta de la diabetes, acabarán para siempre con la eterna polémica sobre si los alimentos de régimen portadores de hidratos de carbono son o no convenientes para el diabético o si le ayudan o más bien le confunden, etc.

En la actualidad se puede afirmar que no existe motivo razonable para que estos alimentos no aparezcan en las tablas de intercambio de alimentos con hidratos de carbono siempre que de una forma acreditada figure en su etiqueta la cantidad que contienen.

Hoy sabemos que en la dieta del diabético la procedencia de los hidratos de carbono es poco importante. Lo realmente importante es su **cantidad**. En todo caso, lo que se debe exigir a los alimentos de régimen es que especifiquen correctamente en la etiqueta si con su consumo existe la posibilidad de sufrir algún efecto secundario, por ejemplo, la diarrea que provocan los alimentos endulzados con sorbitol si se sobrepasa cierta cantidad.

Es probable que el consumidor diabético compruebe que la mayor ventaja de algunos de estos alimentos de régimen sea la de que para una misma aportación de hidratos de carbono se puede ingerir una cantidad mayor de alimento sin provocar un mayor ascenso de la glucemia postprandial, hecho fácilmente explicable porque algunos de los componentes de estos alimentos (generalmente edulcorantes de los llamados nutritivos como el maltitol, el isomalt, la fructosa, etc.) tienen un índice glucémico bastante más bajo que la sacarosa.

Otras veces el mismo consumidor diabético observará que estas diferencias no le compensan la posible pérdida de calidad gastronómica que haya podido experimentar el alimento.

Son posibilidades y alternativas cuya última decisión corresponde al consumidor final.

Los edulcorantes

La cuestión de los **edulcorantes no nutritivos** (sacarina, aspartame, ciclamatos, etc.) es distinta y está completamente al margen de estas cuestiones. Su uso en cantidades discretas ha de considerarse **totalmente libre de problemas** o de consecuencias perjudiciales. Lo mismo cabe decir de los refrescos endulzados sólo con ellos.

La sacarosa (azúcar corriente) en la dieta del diabético

No hay ninguna razón para prohibir el uso del azúcar a las personas con diabetes. El azúcar o **sacarosa** entra en las tablas de intercambio como un hidrato de carbono más.

Sin embargo, se debe señalar que no es un alimento adecuado: es uno de los denominados alimentos «vacíos», lo que significa que no aporta al plan dietético ni una sola vitamina, ni mineral, ni fibra, etc., sólo sus 4 kcal por gramo consumido y, naturalmente, su sabor.

Lo más correcto es utilizar la sacarosa para preparar algún postre de consumo extraordinario, siendo obvio que la dosificación debe ser muy cuidadosa.

El alcohol

No hay motivo alguno para pensar que un consumo extremadamente moderado de vino y de bebidas alcohólicas perjudique más al diabético que a cualquier otra persona, porque en la práctica los diabéticos toleran bien el alcohol.

En cambio, el abuso de alcohol puede resultar más nocivo para el diabético que para otras personas. El hábito de consumir bebidas alcohólicas con la consiguiente pérdida de autodisciplina y autocontrol puede resultar para él absolutamente fatal.

Téngase en cuenta además que el hígado, el órgano que de forma más precoz paga las consecuencias de los abusos alcohólicos, es fundamental en la regulación de la glucemia, y por tanto su mal funcionamiento influye muy negativamente en la evolución de la diabetes.

También hay que prestar atención a la posibilidad de que en alguna ocasión la ingesta de alcohol **facilite la aparición de hipoglucemias** especialmente cuando se bebe solo, sin acompañamiento de ningún alimento y, además, en horas punta alejadas de la última comida o después de la práctica de ejercicio físico. Esto puede suceder en personas tratadas tanto con insulina como con antidiabéticos orales.

Los condimentos

Su uso, incluyendo, los productos picantes, no sufre ningún tipo de restricción. La sal sólo está contraindicada cuando el paciente sufre alguna patología asociada como la hipertensión arterial, la insuficiencia cardiaca, la insuficiencia renal, etc., aunque conviene recordar que la alimentación siempre es más saludable si no se abusa de la condimentación con sal.

7

LA ELECCIÓN DE LOS MENÚS

Uno de los problemas que se presentan con cierta frecuencia en las dietas restringidas como las que se prescriben en la diabetes tipo 2 es el de una excesiva limitación para variar el contenido de los menús, con el consiguiente riesgo de que aparezca una peligrosa sensación de monotonía. El aburrimiento y la desilusión que genera una dieta muy monótona que obliga a comer lo mismo con reiteración, puede convertirse en una barrera difícil de franquear para quien ha de seguirla. Intentar luchar contra esto constituye un reto importante para el mundo de la dietética.

En el caso de la **diabetes tipo 1** esta limitación no tiene en principio por qué existir cuando se sigue un buen tratamiento, ya que si se aprende a realizar sistemáticamente una valoración previa aproximada de la cantidad de hidratos de carbono que se va a ingerir, a su vez se adquiere una adecuada habilidad y experiencia en el manejo de la insulina de acción rápida preprandia y se evitan las exageraciones y las aberraciones en los ágapes; se puede comer prácticamente de todo sin provocar con ello descompensaciones metabólicas. Se trata de saberse inyectar la cantidad oportuna de insulina ante cada tipo de menú.

En el caso de la **diabetes tipo 2** tratada sin insulina la situación es muy diferente porque en ella la dieta sí es forzosamente restrictiva. La principal condición que se exige a las dietas que se emplean en el tratamiento de la diabetes tipo 2 es que la cantidad de hidratos de carbono presente en cada toma de alimentos no sobrepase un determinado límite. Este límite varía en cada caso pero, en general, su nivel oscila entre los 45-50 g de hidratos de carbono por comida o un poco más en las formas más leves o en aquellas en las que la medicación con pastillas antidiabéticas se muestra muy eficaz (de hasta unos 60-65 g).

LA LIMITACIÓN DE LOS HIDRATOS DE CARBONO

En una dieta destinada al tratamiento de la diabetes tipo 2 los hidratos de carbono proceden en general de los siguientes grupos de alimentos:

- De los vegetales del tipo verdura o ensalada. Cada 100 g aportan unos 3–6 g de hidratos de carbono.
- De los alimentos farináceos, también denominados equivalentes del pan (pan, patatas, arroz, pastas, legumbres). Cada 100 g aportan entre 20 g y 80 g de hidratos de carbono.
- De la fruta. Cada 100 g aporta entre 7 y 15 g de hidratos de carbono.
- De la leche y derivados lácteos como el yogur. Cada 100 g aportan unos 6 g de hidratos de carbono.

Observando estos porcentajes es fácil comprender que el grupo que debe ser más vigilado y limitado es el de los farináceos y que, en cambio, el grupo que permite más liberalidad es el de las verduras y ensaladas.

Su distribución más correcta es la siguiente:
- Cantidad libre o casi libre de verdura y/o ensalada.
- Una cantidad muy limitada de los alimentos del grupo farináceos.
- 1 fruta o 1 lácteo.

Estas dietas contienen además un componente de tipo proteico (carne, pescado, huevos, etc.) que suele ser el segundo plato del menú y que se acostumbra a prescribir en la cantidad considerada normal, con la única recomendación de que el alimento contenga poca grasa.

Forma parte también de la dieta el aceite necesario para cocinar y para aliñar, aunque su consumo debe ser moderado.

EJEMPLOS DE MENÚS TÍPICOS

Podemos citar como estandarizados los dos siguientes ejemplos:

Ejemplo n.º 1

COMIDA
verdura
100 g de patatas o 100 g de legumbres (pesadas ya cocidas)

1/4 de pollo, un filete a la plancha o algún pescado
1 fruta o 1 yogur
aceite (el justo necesario para aliñar y cocinar)
20 g de pan

Ejemplo n.° 2

COMIDA
Ensalada
80 g de pasta (pesada ya cocida; se puede combinar con
la ensalada)
carne o pescado como en el ejemplo anterior. Guarnición
con alguna verdura
1 fruta o 1 yogur
20 g de pan

En ocasiones se intenta concentrar todos los hidratos de carbono del menú en un solo plato de alimentos farináceos para hacerlo más abundante, como en los siguientes ejemplos:

Ejemplo n.° 3

COMIDA
180 g de pasta hervida o 225 g de alubias hervidas (pesados ya cocidos)
carne, pescado o huevos
un poco de queso fresco
aceite (el justo necesario para aliñar y cocinar)

Ejemplo n.° 4

COMIDA
100 g de pan
1 tortilla de dos huevos rellena con espinacas, champiñones o ajos tiernos (clásica comida de «bocadillo»)

En todos estos ejemplos cada comida contiene una cantidad aproximada de unos 50 g de hidratos de carbono.

COMPOSICIÓN DE LOS MENÚS

Uno de los problemas prácticos más frecuentes con los que se enfrenta una persona con diabetes tipo 2 al intentar habituarse a un menú prescrito para esta clase de diabetes es el de que las cantidades permitidas para los alimentos farináceos (pasta, arroz, legumbres, etc.) resultan demasiado escasas para constituir con ellos un plato.

Aunque ello puede resolverse en cierto modo sin afectar a la composición de la dieta a base de suprimir la fruta e incluso la verdura a fin de incrementar la cantidad de alimentos farináceos, como en los ejemplos 3 y 4, no es dietéticamente muy aconsejable actuar siempre de este modo, porque el equilibrio de los nutrientes se ve alterado. Además, en el tratamiento de la diabetes tipo 2 conviene que en la dieta diaria no escaseen ni la verdura ni la fruta, dado los excelentes resultados obtenidos en la prevención de daño vascular con hábitos de alimentación como la dieta mediterránea, que los incluye de forma sistemática.

En conclusión, lo más recomendable en la dieta de la

diabetes tipo 2 es que los menús contengan con frecuencia ensalada o verdura, una cantidad muy moderada de un alimento farináceo, un plato proteico (carne, pescado, etc.) y, finalmente, una fruta o un lácteo. Y todo ello con un estilo culinario forzosamente simplificado dado que la participación de las grasas ha de limitarse hasta el punto de reducirse prácticamente al empleo de una discreta cantidad de aceite de oliva.

LUCHAR CONTRA LA MONOTONÍA

Hay una realidad incontrovertible: la mayoría de las personas se cansan pronto de su régimen abandonándolo, con lo que se esfuman sus últimas posibilidades de tratar la diabetes correctamente sin necesidad de inyectar insulina. Entre las múltiples causas de este abandono una de las más importantes es la monotonía de la dieta.

Conseguir reducir la monotonía es un reto de la dietética que en la educación diabetológica se ha trabajado muy poco.

Lo cierto es que existen interesantes posibilidades para conseguirlo, tal vez no suficientes para que se espere de ellas solucionar del todo el problema, pero sí al menos para atenuarlo. Entre ellas son muy interesantes las que proceden de **un manejo más exhaustivo y más inteligente de los alimentos más permitidos: las verduras, las ensaladas y las frutas.**

Desde hace ya unos cuantos años numerosos expertos en cocina se han dado cuenta de que la parte de la gastronomía dedicada al manejo de este tipo de alimentos ha sido poco cultivada y muy poco aprovechada. Como consecuencia de ello han proliferado en las librerías publicaciones dedicadas a la promoción de las **ensaladas,** y es posible encontrar con facilidad tratados con un sorprendente y copioso listado de variaciones. La gran mayoría de ellas, aparte de su notable valor gastronómico, cumplen todos los requisitos exigibles en una dieta recomendada al diabético.

Este interés por los vegetales crudos ha repercutido también en los menús de los restaurantes con una creciente oferta de platos de ensalada, muy superior a la de antaño, y correspondida asimismo en los hábitos de sus clientes mucho más inclinados a escogerlas no sólo como manifestación de una mayor tendencia a sanear los hábitos alimentarios sino por simple interés gastronómico.

Uno de los objetivos de este libro es el de intentar estimular la atención de las personas con diabetes tipo 2 hacia las interesantes posibilidades que puede ofrecerles este aspecto de la alimentación para mejorar no sólo la salud sino incluso también la calidad de vida.

Segunda parte

Recetas para mejorar la dieta

Sugerencias para mejorar la dieta en la diabetes tipo 2

En esta segunda parte del libro ofrezco una colección de menús que reúnen correctamente las características dietéticas recomendadas a las personas con **diabetes tipo 2**.

A su vez, son una muestra de la estrategia escogida para luchar contra la monotonía de los menús. Consiste en aprovechar todas las posibilidades que aporta el manejo de los alimentos que suministran los hidratos de carbono en la dieta, aunque sea en cantidad limitada, con especial atención a las ensaladas y las verduras.

La mayoría de las ideas propuestas se basan en **ensaladas,** esto es no sólo un reconocimiento a su valor dietético y gastronómico. Se debe sobre todo a que, para preparar buenas ensaladas e incluso para explicar cómo prepararlas, no es necesario ser un gran experto en cocina, por la elemental razón de que la mayoría de estas recetas no exigen cocinar. Bastarán unos conocimientos fundamentales acerca del manejo de alimentos que generalmente no se deben ni cocer.

Téngase en cuenta que **este libro no pretende ser un manual de cocina**, entre otras razones porque los libros de

cocina deben estar escritos por profesionales de la gastronomía, y no por médicos o dietistas.

Mi principal objetivo es transmitir a las personas que padecen esta enfermedad la idea de que pueden acabar con la
monotonía de sus menús gracias a **las múltiples posibilidades que ofrece la pluralidad de los vegetales comestibles.**

Los menús propuestos son meros ejemplos de combinaciones entre diversos alimentos, todos ellos idóneos para figurar en esta clase de dieta –y pretenden que el lector las
amplíe a muchísimas más combinaciones y mezclas.

De hecho, damos prioridad al mensaje educacional sobre
la colección de menús en sí.

Aunque esta parte del libro está especialmente destinada
a las personas con diabetes tipo 2, tenemos la convicción de
que algunas de sus propuestas dietético-gastronómicas también interesarán a pacientes con diabetes insulino-dependiente deseosos de encontrar estilos de alimentación que les
faciliten su control metabólico.

Los componentes de los menús se han agrupado alrededor de cada uno de los diversos alimentos, por orden alfabé-
tico, que aportan hidratos de carbono a los menús y que
constituyen los auténticos protagonistas del tema.

Algunas de las recetas –muy pocas– contienen ingredientes de los considerados poco recomendables –por ejemplo, el
queso azul– pero en estos casos se incluye en cantidades
muy pequeñas y se recuerda que en el mismo menú no debe
figurar ningún otro alimento portador de ácidos grasos saturados. En las normas-guía de alimentación sana se admite
que puede tolerarse hasta 9 g de dichos ácidos por día.

Los alimentos complementarios no incluidos en las recetas (carnes, pescados, pan, postre, etc.) se han escogido y

distribuido en los menús con la máxima simplicidad, con la idea de que el usuario de la dieta pueda cambiarlos por alimentos equivalentes siempre que lo crea oportuno sin que ello signifique ninguna modificación importante de la estructura de la dieta ni menoscabo alguno de su utilidad.

Importante: las recetas están concebidas para 4 personas; la composición detallada es para 1 persona, y los menús son de 5 raciones (50 g) de hidratos de carbono.

AGUACATE

Este vegetal, prácticamente desconocido hace unos años en nuestro país, se ha popularizado de forma paulatina, en especial a través de los restaurantes de estilo mexicano.

Dietéticamente se caracteriza por su bajo nivel en hidratos de carbono (un 5 % aproximadamente), que lo convierte en un alimento muy manejable dentro de la dieta de la diabetes. Su principal inconveniente es que es uno de los pocos vegetales verdes en cuya estructura hay una notable proporción de grasa (12 %). Por tanto, en una dieta hipocalórica debe limitarse su empleo. En su contenido graso predomina el ácido oleico, el mismo que se encuentra en el aceite de oliva y, por tanto, no provoca aumentos considerables de colesterol.

Contiene calcio, fósforo, magnesio, hierro y vitaminas A, E, B1, B2, C y niacina.

AGUACATES A LA FRANCESA

Ingredientes

2 aguacates
½ escarola
Un puñado de berros

Para el aderezo

8 cucharadas de aceite de
  oliva
2 cucharadas de vinagre
1 cucharadita de mostaza
1 diente de ajo triturado
1 cucharada de zumo de
  limón
Sal y pimienta

Preparación

- Pelar los aguacates, deshuesarlos y cortarlos por la mitad.
- Cortar el aguacate a rodajas finas. Rociarlo ligeramente con el zumo de limón.
- Lavar la escarola y los berros.
- Cortar la escarola a trocitos y el berro en ramas pequeñas.
- Mezclar todo en una ensaladera y añadir seis cucharadas de aderezo.
- Para el aderezo, picar el ajo en un mortero, añadirle una cucharada de limón, la mostaza, una pizca de sal y de pimienta y remover bien. Cuando la mezcla sea consistente, agregar el aceite y el vinagre hasta formar una salsa compacta.

Composición: 5 g (½ ración) de hidratos de carbono
250 kcal

Ejemplo de menú
(5 raciones de hidratos de carbono)

- Aguacates a la francesa
- Merluza a la plancha (o al horno)
- 100 g de patata (un trozo del tamaño de un huevo), 1 tomate
- Una pieza de fruta
- 20 g de pan

CANGREJADA DE AGUACATES

Ingredientes
2 aguacates
200 g de carne de cangrejo

Para el aderezo
150 g de yogur desnatado
4 cucharadas de aceite
  de oliva
1 cucharadita de vinagre

1 cucharada de zumo de limón
1 diente de ajo machacado
1 cucharadita de salsa
  Worcestershire
Sal y pimienta

Preparación

- Pelar, deshuesar y cortar los aguacates a cuadraditos pequeños ligeramente rociados con un poco de zumo de limón.
- Verterlos en una ensaladera y mezclarlos con la carne de cangrejo desmenuzada.
- Aliñar con el aderezo removiendo bien.

- Para el aderezo, pasar todos sus ingredientes por el minipimer.

Composición: 5 g (¹/₂ ración) de hidratos de carbono
190 kcal

Ejemplo de menú
(5 raciones de hidratos de carbono)
- Cangrejada de aguacates
- Pechuga de pollo a la plancha
- 50 g de pan
- Una pieza de fruta

AGUACATES A LA MARINERA

Ingredientes
3 aguacates
200 g de patatas hervidas
300 g de gambas
1 cucharada de perejil
  picado
1 limón

Para el aderezo
5 cucharadas de aceite de oliva
1 cucharada de vinagre
Nuez moscada
Sal y pimienta

Preparación
- Hervir las patatas, retirar cuando estén tiernas y cortar a rodajas finas. Reservar.
- Pelar los aguacates, deshuesarlos, partirlos por la mitad y cortarlos a cuadraditos. Rociar con zumo de limón. Reservar.
- Hervir las gambas y separar las colas de la cáscara.

- En una fuente de servir, colocar una capa de rodajas de patata y disponer por encima los aguacates y las gambas.
- Rociar con el aderezo que se habrá preparado mezclándolos en un bol con anterioridad. Espolvorear con el perejil picado.

Composición: 15 g (1,5 raciones) de hidratos de carbono
320 kcal

Ejemplo de menú
(5 raciones de hidratos de carbono)

- Aguacates a la marinera
- Tortilla de ajos tiernos
- 40 g de pan
- Una pieza de fruta

ENSALADA TROPICAL DE AGUACATES Y LANGOSTINOS

Ingredientes

2 aguacates
1 mango
1 escarola
8 langostinos
2 cebollas
30 g de pasas deshuesadas

Para el aderezo

6 cucharadas de aceite de oliva
2 cucharadas de vinagre
1 limón
Sal y pimienta

Preparación

- Hervir los langostinos, pelarlos y separar las colas. Reservar.
- Pelar, deshuesar y partir los aguacates por la mitad. Cortarlos a cuadraditos pequeños. Rociar con zumo de limón.
- Pelar el mango y cortarlo a dados pequeños. Reservar.
- Pelar las cebollas y cortarlas muy picaditas. Reservar.
- Lavar la escarola y cortarla muy fina. Reservar.
- En una ensaladera, mezclar la escarola, el aguacate, el mango, las pasas deshuesadas, las colas de langostino y la cebolla picada.
- Aliñar con el aderezo.

Composición: 20 g (2 raciones) de hidratos de carbono
340 kcal

Ejemplo de menú
(5 raciones de hidratos de carbono)

- Ensalada tropical de aguacates y langostinos
- Conejo a la plancha
- 1 yogur natural
- 30 g de pan

AGUACATES A LA PASTORA

Ingredientes	Para el aderezo
2 aguacates	8 cucharadas de aceite de oliva
2 peras grandes	2 cucharadas de vinagre
120 g de jamón serrano	1 diente de ajo
160 g de queso tipo Burgos	Sal y pimienta
1 escarola	

Preparación

- Lavar y pelar las peras sacando el hueso y la parte central con las semillas. Cortar el resto a láminas.
- Pelar, deshuesar y cortar los aguacates a láminas del mismo tamaño que las peras.
- Cortar el queso de Burgos a triángulos gruesos.
- Lavar y cortar la escarola muy menudita.
- En la base del plato, colocar las lonchas de jamón; en el centro, la escarola y los triángulos de queso, y alrededor de estos ingredientes, las láminas de pera y aguacate.
- Aliñar con el aderezo. Éste se prepara machacando el ajo en un mortero; cuando esté bien picadito, mezclar con el aceite y el vinagre, salpimentar y remover.

Composición: 20 g (2 raciones) de hidratos de carbono
500 kcal

Ejemplo de menú
(5 raciones de hidratos de carbono)

- Aguacates a la pastora
- Rape a la plancha
- 40 g de pan
- 1 yogur desnatado

Importante: El alto contenido calórico del primer plato se compensa con un segundo plato muy bajo en calorías como es el rape a la plancha.

TROPICANA DE AGUACATE, MANGO Y QUESO DE CABRA

Ingredientes

2 aguacates

150 g de queso de cabra
blando

1 mango

4 rebanadas de pan
(de unos 40 g cada una)

12 nueces

1 cucharadita de zumo
de limón

Para el aderezo

3 cucharadas de aceite de oliva

1 cucharada de zumo de limón

1 cucharada de perejil picado

Sal y pimienta

Preparación

- Pelar, deshuesar y cortar los aguacates a rodajas finas rociándolas con unas gotas de zumo de limón.
- Pelar, deshuesar y cortar el mango a rodajas del mismo tamaño.
- En un bol mezclar bien los aguacates y el mango y aliñarlo todo con el aderezo.
- Con un mortero picar las nueces y mezclarlas con el queso de cabra, formando una pasta consistente.
- Tostar ligeramente las rebanadas de pan, cortarlas a cuadrados de unos 5 cm y untarlos con la pasta de queso y nueces. Meter en el horno precalentado a 180 °C hasta que el queso se haya fundido.
- Servir caliente acompañado con la ensalada aguacates y el mango.
- Para el aderezo, picar el perejil, salpimentar ligeramente y mezclarlo bien con el aceite y el zumo de limón.

Composición: 35 g (3,5 raciones) de hidratos de carbono
500 kcal

Ejemplo de menú
(5 raciones de hidratos de carbono)

- Tropicana de aguacates, mango y queso de cabra
- Merluza a la plancha
- Una pieza de fruta
- Sin pan

Importante: Este es un menú sin pan porque el pan ya interviene como ingrediente de un primer plato ligeramente hipercalórico. El menú se compensa con la elección del pescado blanco como segundo plato.

ALCACHOFAS

Las alcachofas son vegetales utilizados con frecuencia en la cocina dietética, especialmente por su acción beneficiosa en las enfermedades de la vesícula biliar (efecto colagogo).

Aportan en la alimentación un 2,5 % de proteínas, además de cantidades significativas de calcio, fósforo, potasio, magnesio y hierro, y vitaminas A, E, B1, B2, B3 y C.

Su uso está muy indicado en la dieta de la diabetes.

En nuestro país existe la costumbre de comerlas cocidas al horno. Si se preparan hervidas aprovechando su base cortada a láminas y aliñadas con salsa vinagreta, se logran sabrosas ensaladas. Resulta un entrante sano y muy poco cargado de hidratos de carbono.

Las tortillas rellenas con fondos de alcachofa constituyen también excelentes primeros platos en la dieta del diabético. Para disminuir el aporte de colesterol se recomienda utilizar para la tortilla un huevo y la clara de otro.

Las alcachofas se comen también crudas y para ello deben emplearse sólo los fondos y las hojas tiernas que lo rodean.

ALCACHOFAS A LAS FINAS HIERBAS CON SALSA BLANCA

Ingredientes
6 alcachofas
2 bulbos de hinojo
1 limón
2 cucharadas de menta
  picada
1 cucharada de eneldo
  picado
Sal y pimienta

Para el aderezo
1 yogur natural
2 cucharadas de aceite de oliva
1 cucharada de zumo de limón
1 cucharada de mostaza
1 cucharada de perejil picado
Sal

Preparación

- Pelar las alcachofas retirando todas las hojas hasta dejar sólo el cogollo y las hojas más tiernas.
- Cortar por la mitad y dejar reposar durante 30 minutos en un bol grande con abundante agua y dos cucharaditas de zumo de limón.
- Transcurrido este tiempo, secar con un papel absorbente.
- Colocar las alcachofas en la base de una fuente de servir y regar de nuevo con otra cucharada de zumo de limón para evitar que se ennegrezcan. Reservar.
- Cortar los bulbos de hinojo a láminas muy finas y mezclar con las alcachofas.
- Espolvorear por encima la menta y el eneldo picados. Salpimentar ligeramente.
- Si se desea un plato suave basta con rociar los platos con aceite de oliva. La presentación más sofisticada es acompañar de la salsa de yogur y mostaza.

- Para el aderezo, verter en un bol el yogur previamente removido y agregar el aceite de oliva, la mostaza y el zumo de limón. Sazonar ligeramente. Remover bien y espolvorear por encima del perejil picado.

Composición: 10 g (1 ración) de hidratos de carbono
90 kcal

Ejemplo de menú
(5 raciones de hidratos de carbono)

- Alcachofas a las finas hierbas con salsa blanca
- Bistec a la plancha
- 50 g de pan
- Una pieza de fruta

LECHUGINOS DE ALCACHOFAS Y GAMBAS A LA DIJON

Ingredientes

400 g de corazones de
   alcachofas (pueden ser
   de conserva)
1 lechuga (mejor iceberg)
1 cebolla
400 g de gambas

Para el aderezo

2 cucharadas de aceite de oliva
3 cucharadas de vinagre
   de jerez
2 cucharaditas de mostaza de
   Dijon
1 diente de ajo machacado
1 cucharada de perejil picado
Sal y pimienta

Preparación

- En un cazo con abundante agua salada hervir las gambas hasta que estén tiernas. Una vez hervidas, pelar y dejar marinar en el frigorífico durante 1 hora.
- Lavar y escurrir bien la lechuga. Cortarla a trozos muy pequeños y colocar en la base de los platos.
- Lavar y cortar los corazones de las alcachofas por la mitad y distribuirlos por encima de la lechuga. Repartir las gambas.
- Rociar los platos con el aderezo. Para hacerlo, picar el ajo y el perejil en un mortero. Agregar la mostaza, el vinagre y el aceite. Salpimentar y remover bien hasta formar una salsa bien líquida.

Composición: 10 g (1 ración) hidratos de carbono
385 kcal

Ejemplo de menú
(5 raciones de hidratos de carbono)

- Lechuguinos de alcachofas y gambas a la Dijon
- Tortilla de patatas (2 huevos y 150 g de patatas)
- 1 yogur natural

ARROZ

El arroz es un cereal cuyos granos contienen un 80 % de almidón, lo que significa que la ingestión de 100 g de arroz origina la formación de 80 g de glucosa dentro del intestino al cabo de un cierto tiempo de digestión.

Se trata de un alimento muy consumido en nuestro país. Aparte de sus amplias posibilidades dentro de la gastronomía tiene propiedades muy positivas en el tratamiento dietético de muchas afecciones del tubo digestivo.

El principal inconveniente para la dieta de la diabetes es su alto índice glucémico, que puede provocar incrementos importantes de la glucemia postprandial si no se vigila bien la cantidad ingerida. La mayoría de personas diabéticas suele saberlo porque lo han constatado en ellos mismos.

Hay un curioso factor de tipo sociológico y costumbrista que hay que tener en cuenta, y es la popularidad que en nuestro país ha llegado a alcanzar la **paella**, clásico plato de arroz de la cocina tradicional. Es la comida de los días festivos de innumerables familias.

Por ello, a pesar de tratarse de un plato hiperglucídico e hipercalórico casi siempre mal tolerado por la población diabética, creemos que su prohibición sería en general mal cumplida y que es mejor condicionarlo más o menos de esta manera: reducir la frecuencia de su ingesta y aprender a **limitar sólo la cantidad de granos de arroz** permitiendo cierta generosidad en la incorporación al plato de su pescado y de su carne.

Además, el día que coma paella, la persona diabética no debería ingerir ningún otro alimento que contenga hidratos de carbono en la misma comida, especialmente ni pan ni fruta. En todo caso, como única excepción, unas hojas de ensalada verde.

Además debería realizar en estas ocasiones un sistemático control de la glucemia postprandial para valorar la tolerancia.

Por otra parte, el diabético puede incorporar el arroz con menos riesgo a su dieta con opciones más adecuadas que precisan cantidades bastante menores del cereal, tales como **la sopa de arroz** (unos 25-30 g de arroz crudo son suficientes) o **acompañamientos** de carne o pescado.

También es usual tomarlo hervido combinado con un huevo frito y salsa de tomate, **arroz a la cubana**, que puede considerarse aceptable en la dieta del diabético si la cantidad de arroz no sobrepasa los 40-50 g (en crudo) y se suprime el plátano frito con que tradicionalmente se acompaña.

Una manera excelente de combinarlo con vegetales la constituyen las llamadas **ensaladas de arroz**, que resultan unos primeros platos muy adecuados para personas con diabetes tipo 2 siempre que las cantidades de arroz sean las correctas.

De ellas exponemos a continuación diferentes fórmulas.

ENSALADA DE ARROZ Y APIO

Ingredientes

140 g de arroz de grano
 largo
1 pepino
4 ramas de apio
1 pimiento verde
6 cebollas verdes cortadas
 a rodajas
2 cucharadas de menta
 picada

Para el aderezo

8 cucharadas de aceite de oliva
2 cucharadas de vinagre
$1/2$ cucharadita de miel líquida
1 diente de ajo triturado
1 hoja de menta
Perejil
Cebollino
Sal y pimienta

Preparación

- Hervir el arroz en abundante agua salada durante 15 minutos.
- Transcurrido este tiempo escurrir, pasar por agua fría y verter en una ensaladera.
- Lavar el pepino, el apio y el pimiento verde y cortarlos a trozos muy finos. Mezclarlos con el arroz.
- Cortar las cebollas verdes a rodajas. Agregar a la ensaladera.
- Verter el aderezo y mezclarlo bien con el arroz y las verduras. Espolvorear con la menta picada.
- Para el aderezo, picar en un bol la menta, el perejil, el cebollino y el diente de ajo. Agregar el aceite y el vinagre. Salpimentar ligeramente y mezclar. En el último momento verter la miel y remover.

Composición: 30 g (3 raciones) de hidratos de carbono
300 kcal

Ejemplo de menú
(5 raciones de hidratos de carbono)

- Ensalada de arroz
- Salmonetes fritos
- Una pieza de fruta
- 1 biscote

ENSALADA DULCE DE ARROZ

Ingredientes

140 g de arroz
6 cebollas tiernas
1 pimiento rojo
1 pimiento verde
50 g de grosellas
50 g de anacardos
3 cucharadas de perejil picado
6 cucharadas de aderezo

Para el aderezo

8 cucharadas de aceite de
  girasol
2 cucharadas de salsa de soja
1 cucharada de zumo de limón
1 diente de ajo triturado
Sal y pimienta

Preparación

- Picar las cebollas tiernas. Reservar.
- Lavar el pimiento rojo y el verde y cortarlos a pedazos pequeños.
- Hervir el arroz en abundante agua salada durante unos 15 minutos. Escurrir y poner en una fuente de servir.
- Mezclar bien con el pimiento rojo y verde, las cebollas picadas, las grosellas y los anacardos.
- Echar 6 cucharadas de la salsa y remover bien. Espolvorear el perejil picado.

Composición: 30 g (3 raciones) de hidratos de carbono
370 kcal

Ejemplo de menú
(5 raciones de hidratos de carbono)

- Ensalada de arroz
- Merluza a la plancha
- Una pieza de fruta
- 1 biscote

ENSALADA TRÓPICO

Ingredientes
75 g de arroz
1 pimiento rojo
½ piña natural
100 g de granos de maíz
   en conserva
6 champiñones
1 cucharadita de
   eneldo picado

Para el aderezo
8 cucharadas de aceite de oliva
2 cucharadas de vinagre
   de jerez
2 tomates maduros (sin piel
   ni semillas)
4 cucharadas de vino blanco
Sal y pimienta

Preparación

- Hervir el arroz en abundante agua salada durante unos 15 minutos y escurrir. Reservar.
- Cortar la piña a trocitos. Reservar.
- Lavar el pimiento rojo y cortarlo a trozos pequeños.
- Lavar los champiñones y cortarlos a láminas.

- En un bol grande mezclar el arroz, el pimiento, los champiñones y el maíz. Aderezar con la salsa.
- Espolvorear con el eneldo picado.
- Para el aderezo, lavar y pelar los tomates, quitarles la piel y las semillas y picarlos. Salpimentar ligeramente y mezclar bien con el aceite de oliva, el vinagre y el vino blanco.

Composición: 25 g (2,5 raciones) de hidratos de carbono
206 kcal

Ejemplo de menú
(5 raciones de hidratos de carbono)

- Ensalada de arroz
- Pollo al horno
- Una pieza de fruta
- 20 g de pan

ENSALADA SERRANA

Ingredientes
120 g de arroz
150 g de champiñones
1 pepino
1 cebolla
1 cucharada de alcaparras
80 g de jamón serrano
   (parte magra)

1 cucharada de una mezcla de perejil, cebollino y estragón picados

Para el aderezo
5 cucharadas de aceite de oliva
1 cucharada de vinagre
Sal y pimienta

Preparación

- Hervir el arroz en abundante agua salada durante unos 15 minutos. Escurrir y reservar.
- Lavar y cortar los champiñones en láminas finas. Reservar.
- Lavar y cortar el pepino pelado a rodajas muy finas. Reservar.
- Picar la cebolla. Cortar el jamón a láminas muy finas. Reservar.
- Mezclar todos los ingredientes en una ensaladera y aderezar con la salsa. Espolvorear por encima con las hierbas picadas.

Composición: 25 g (2,5 raciones) de hidratos de carbono
70 kcal

Ejemplo de menú
(5 raciones de hidratos de carbono)

- Ensalada serrana
- Calamares a la romana (rebozados de harina y huevo)
- 1 yogur

ENSALADA MIXTA

Ingredientes
120 g de arroz
2 tomates
1 pimiento verde
1 cebolla
1/2 pollo asado
3 gambas hervidas
75 g de aceitunas negras
   deshuesadas

1/2 lata de atún en aceite
1 cucharada de perejil picado

Para el aderezo
4 cucharadas de aceite de oliva
1 cucharada de vinagre
Una pizca de pimentón dulce
Sal y pimienta

Preparación

- Hervir el arroz en abundante agua salada durante unos 15 minutos. Escurrir y reservar.
- Hervir las gambas, quitarles la piel y reservar.
- Cortar el pimiento a tiras. Reservar.
- Cortar los tomates a dados. Reservar.
- Retirar la piel del pollo y desmenuzarlo. Reservar.
- Picar la cebolla.
- En una ensaladera grande mezclar bien todos los ingredientes y rociarlos con el aderezo. Antes de servir, espolvorear por encima con el perejil picado.

Composición: 25 g (2,5 raciones) de hidratos de carbono
380 kcal

Ejemplo de menú
(5 raciones de hidratos de carbono)

- Ensalada de arroz
- Rape a la plancha

- Una pieza de fruta
- 2 biscotes

ATUNADA DE ARROZ

Ingredientes

120 g de arroz

1 lata de atún en aceite

1 pimiento verde

3 cebollas tiernas

Un puñado de berros

2 tomates

Para el aderezo

4 cucharadas de mahonesa

2 cucharadas de zumo de limón

1 cucharada de aceite de oliva

1 cucharadita de mostaza

1 diente de ajo machacado

Sal y pimienta

Preparación

- Hervir el arroz en abundante agua salada durante unos 15 minutos. Escurrir y reservar.
- Cortar el pimiento a daditos y las cebollas tiernas a rodajas.
- Cortar los tomates a dados pequeños.
- En una ensaladera mezclar el arroz, el pimiento verde, las cebollas tiernas, los berros previamente lavados, los tomates y el atún desmigado.
- Unos minutos antes de servir se mezcla bien con el aderezo.
- Para el aderezo, picar el ajo en un mortero y agregar la mahonesa, el zumo de limón, el aceite y la mostaza. Salpimentar y remover hasta que la salsa esté espesa.

Composición: 25 g (2,5 raciones) de hidratos de carbono
250 kcal

Ejemplo de menú
(5 raciones de hidratos de carbono)

- Ensalada de arroz
- Mejillones hervidos
- Una pieza de fruta
- 20 g de pan

ENSALADA DE ARROZ AL CURRY

Ingredientes
120 g de arroz
1 pechuga de pollo cocida
1 pepino
1 pimiento rojo
2 tomates
12 aceitunas negras
1 cucharada de perejil picado

Para el aderezo
3 cucharadas de aceite de soja
1 cucharada de vinagre de
vino blanco
2 dientes de ajo machacados
1 cucharadita de tabasco

Preparación

- Hervir el arroz en abundante agua salada durante unos 15 minutos. Escurrir y reservar.
- Lavar y cortar el pimiento rojo a tirar muy finas. Reservar.
- Lavar y cortar el pepino a rodajas muy finas.
- Pelar los tomates, retirar las semillas y cortar a dados pequeños. Reservar.
- En un bol grande, mezclar el arroz, el tomate, el pimiento, el pepino y las aceitunas con la pechuga cortada a dados.
- Rociar con el aderezo y, antes de servir, espolvorear por encima el perejil picado.

Composición: 25 g (2,5 raciones) de hidratos de carbono
220 kcal

Ejemplo de menú
(5 raciones de hidratos de carbono)

- Ensalada de arroz al curry
- Bistec a la plancha
- 100 g de judías secas cocidas (pesadas ya cocidas)
- 6 nueces

ENSALADA DE ARROZ, ANACARDOS Y APIO

Ingredientes	**Para el aderezo**
120 g de arroz	8 cucharadas de aceite de oliva
2 pimientos verdes	2 cucharadas de vinagre
3 tallos de apio	Una pizca de pimienta molida
1 cebolla picada finamente	Una pizca de nuez moscada
100 g de anacardos	Sal y pimienta

Preparación

- Hervir el arroz en abundante agua salada durante unos 15 minutos. Escurrir y reservar.
- Lavar y cortar los pimientos verdes en tiras pequeñas.
- En una ensaladera mezclar el arroz con el pimiento verde, la cebolla picada, el apio cortado a rodajas y los anacardos.
- Rociar la ensalada con el aderezo y dejarlo reposar unos minutos antes de servirlo en el plato.
- Para el aderezo, mezclar bien en un bol la pimienta molida, la nuez moscada, el aceite y el vinagre. Salpimentar.

Composición: 25 g (2,5 raciones) de hidratos de carbono
450 kcal

Ejemplo de menú
(5 raciones de hidratos de carbono)

- Ensalada de arroz
- Sepia a la plancha
- Una pieza de fruta
- 20 g de pan

BERENJENAS

Vegetal dietéticamente importante tanto por sus propiedades nutritivas como por sus múltiples posibilidades gastronómicas.

Su bajo porcentaje en hidratos de carbono (4 %) hace que sea una verdura de uso muy adecuado en la dieta de la diabetes.

Las berenjenas contienen calcio, fósforo, hierro y magnesio. También vitaminas B1, B2, niacina y B6.

Habitualmente se consumen fritas o empanadas, cortadas a rodajas y como acompañamiento de las carnes. Otras fórmulas de cocinarse son asadas al rescoldo o al horno, juntamente con los pimientos y los tomates.

Pueden convertirse en base de otros excelentes primeros platos.

BERENJENAS A LA SICILIANA

Ingredientes

1 berenjena grande
$1/4$ kg de tomates
$1/4$ kg de cebollas
2 ramas de apio
80 g de aceitunas verdes
    deshuesadas
1 cucharada de alcaparras
1 cucharada de piñones
1 cucharada de salsa de
    tomate
1 cucharada de vinagre
1 lechuga
9 cucharadas de aceite de oliva

Preparación

- Lavar y cortar la berenjena en dados de 1 cm de grosor. Poner en un colador, sazonar y dejar reposar durante 30 minutos. Escurrir y secar con un papel de cocina.
- Pelar y cortar las cebollas en juliana (muy finas).
- Lavar y cortar el apio a trozos de unos 2 cm.
- Lavar, pelar y cortar los tomates muy menuditos quitándoles las semillas.
- En una cazuela de barro con 6 cucharadas de aceite sofreír la berenjena a fuego lento durante 10–15 minutos, removiendo hasta que se doren. A continuación, añadir 3 cucharadas más de aceite y freír la cebolla unos 5 minutos hasta que se dore. Agregar los tomates, el apio cortado fino, la salsa de tomate, el vinagre y salpimentar. Cubrir la cazuela y hervir a fuego lento durante 5 minutos. Echar entonces la berenjena, las alcaparras, las aceitunas, los piñones y el vinagre. Dejar cocer sin tapar la cazuela otros 10 minutos para que se evapore el vinagre.
- Servir en platos individuales sobre hojas de ensalada.

Composición: 15 g (1,5 raciones) de hidratos de carbono
200 kcal

Ejemplo de menú
(5 raciones de hidratos de carbono)

- Berenjenas a la siciliana
- Lenguado a la plancha
- Una pieza de fruta
- 40 g de pan

BERENJENAS A LA PASIEGA

Ingredientes

2 berenjenas
1 lechuga
50 g de piñones
200 g de queso de cabra

Para el aderezo

8 cucharadas de aceite de oliva
$\frac{1}{2}$ cucharada de vinagre
  de vino
1 cucharadita de mostaza
2 dientes de ajo
Sal y pimienta

Preparación

- Lavar y cortar las berenjenas a rodajas de 1 cm. Colocar en un colador, sazonar ligeramente y dejar reposar durante $\frac{1}{2}$ hora. Transcurrido este tiempo lavar de nuevo y escurrir con papel de cocina. Colocar las berenjenas en una cazuela de barro previamente untada con un poco de aceite y meter en el horno.

- Mantener la cazuela al horno durante 20 minutos a 120 °C. Retirar del horno y colocar las berenjenas en una fuente con papel de cocina para que absorban el aceite. Reservar.

• En platos individuales disponer en cada uno un fondo de hojas de lechuga y sobre ellas colocar las berenjenas. Añadir los piñones ligeramente tostados en el horno y el queso desmenuzado. Aderezar con dos cucharadas del aliño que habremos preparado anteriormente.

Composición: 10 g (1 ración) de hidratos de carbono
330 kcal

Ejemplo de menú
(5 raciones de hidratos de carbono)

• Berenjenas a la pasiega
• Pechuga de pollo a la plancha con 100 g de patata hervida
• Una pieza de fruta
• 1 biscote

BERENJENAS A LA RONDA

Ingredientes
2 berenjenas
4 cebollas tiernas
2 cucharadas de semillas
  de sésamo

Para el aderezo
4 cucharadas de aceite
  de oliva
2 cucharadas de aceite
  de sésamo

1 cucharada de tabasco
$1/2$ cucharada de vinagre de
  arroz
2 cucharadas de salsa de soja
2 dientes de ajo
1 cucharada de raíz tierna de
  jengibre
Sal y pimienta

Preparación

- Lavar y cortar las berenjenas a dados de unos 7 mm de grosor. Poner en un colador, sazonar y dejar reposar durante ½ hora. Lavar bien bajo el grifo de agua fría, escurrir colocando los dados sobre papel de cocina y poner en una ensaladera.
- Pelar y cortar las cebollas en juliana.
- Tostar las semillas de sésamo en el horno a 180 °C durante unos 10 minutos.
- Mezclar las cebollas y las semillas de sésamo con las berenjenas y aliñar removiendo bien.
- Picar el ajo en un mortero y hacer lo mismo con el jengibre. En un bol mezclar el ajo y el jengibre con el aceite de oliva, el aceite de sésamo, el tabasco, el vinagre y la salsa de soja. Salpimentar ligeramente y remover hasta lograr una salsa espesa. Rociar como aderezo.

Composición: 10 g (1 ración) de hidratos de carbono
175 kcal

Ejemplo de menú
(5 raciones de hidratos de carbono)

- Berenjenas a la ronda
- Dorada al horno con 100 g de patatas hervidas y 1 tomate maduro
- 40 g de pan
- Un trocito de queso tipo Burgos

BERENJENAS A LA MEXICANA

Ingredientes

1 berenjena grande
300 g de champiñones
2 dientes de ajo cortados en rodajas finas
1 chalote picado

Un vaso de vino blanco seco
6 cucharadas de aceite de oliva
$1/2$ cucharadita de eneldo picado
1 cucharadita de tabasco
2 cucharadas de perejil picado
Sal y pimienta

Preparación

- Lavar y cortar la berenjena a dados de 1 cm de grosor. Poner en un colador, sazonar y dejar reposar durante 30 minutos. Escurrir y secar con papel de cocina.
- En una cazuela de barro a fuego lento freír el ajo picado muy menudito y el chalote picado durante 4 minutos evitando que se doren. Agregar la berenjena junto con el eneldo picado y el tabasco. Salpimentar y dejar cocer durante 3 minutos.
- Añadir el vino y los champiñones cortados a láminas muy finas. Dejar cocer durante 1 minuto.
- Servir espolvoreando por encima el perejil picado.

Composición: 5 g ($1/2$ ración) de hidratos de carbono
150 kcal

Ejemplo de menú
(5 raciones de hidratos de carbono)

- Berenjenas a la mexicana
- Pollo al ast con 50 g de patatas chips
- Una pieza de fruta
- 1 biscote

ENSALADA BÁSICA DE BERENJENAS A LA PIMIENTA DE CAYENA

Ingredientes
2 berenjenas
3 dientes de ajo
3 cucharadas de aceite
de oliva

Para el aderezo
3 cucharadas de vinagre de
vino blanco
Un vaso de vino blanco seco
1 cucharadita de orégano
picado
Una pizca de pimienta de Cayena
Sal

Preparación

- Lavar y cortar las berenjenas en rodajas de ½ cm de espesor. Sazonar y dejar reposar durante 30 minutos. Escurrir y secar con papel de cocina.
- En una sartén freír las rodajas de berenjena hasta que se doren. Escurrir sobre papel absorbente.
- En una ensaladera agregar el aderezo y marinar durante 24 horas.

Composición: 5 g (½ ración) de hidratos de carbono
300 kcal

Ejemplo de menú
(5 raciones de hidratos de carbono)

- Ensalada básica de berenjenas a la pimienta de Cayena
- 1 yogur
- 1 manzana al horno
- 1 biscote

TOSTA DE BERENJENAS

Ingredientes

2 berenjenas

2 tomates maduros

2 dientes de ajo machacados

1 cebolla picada

16 aceitunas negras

8 cucharadas de aceite de oliva

1 cucharadita de zumo
  de limón

Sal y pimienta

Preparación

- Cortar las berenjenas por la mitad con un corte longitudinal. En cada uno de los trozos hacer diversos cortes. Sazonar y dejar reposar durante media hora. Lavar, escurrir y poner al horno a 120 °C durante 40 minutos.

- En un cazo mezclar la carne de las berenjenas, los tomates pelados y sin semilla muy picaditos, el ajo picado, el aceite, el zumo de limón, la cebolla picada, la sal y la pimienta. Remover bien y hacer una pasta consistente.

- Colocar la pasta sobre una rebanada de pan tostado y servir acompañado junto con las aceitunas negras. Espolvorear por encima de la tostada el perejil picado.

Composición: 10 g (1 ración) de hidratos de carbono
240 kcal

Ejemplo de menú
(5 raciones de hidratos de carbono)

- Tosta de berenjenas (60 g de pan tostado pesado antes de tostar)
- Calamares a la plancha con 1 cucharada de salsa mahonesa.
- 1 yogur natural con 2 galletas tipo María.

BERROS

Vegetal de hoja pequeña y sabor agradable muy útil para las ensaladas en la dieta del diabético o en las dietas hipocalóricas por su baja concentración en hidratos de carbono (2,5 %) y la cifra baja de calorías (20 kcal para 100 g) que provoca su combustión.

Su contenido en vitamina A es muy notable, aporta también calcio, fósforo, hierro, y vitaminas B1, B2, B3 y C.

BERROS A LA ORIENTAL

Ingredientes
Un manojo de berros
$^1/_2$ col china
Un manojo de alfalfa
5 cebollas tiernas

Para el aderezo
8 cucharadas de aceite de oliva
2 cucharadas de vinagre
1 cucharadita de mostaza
1 diente de ajo machacado
Sal y pimienta

Preparación

- Lavar bien los berros y la alfalfa y cortarlo todo muy menudito.
- En un bol grande desmenuzar la col china y mezclarla con los berros, la alfalfa y las cebollas tiernas cortadas en juliana (bien finas).
- En un mortero picar el ajo y mezclarlo bien con el aceite, el vinagre y la mostaza. Salpimentar y remover hasta lograr una salsa espesa para aderezar.
- Servir la ensalada aliñada.

Composición: 5 g (¹/₂ ración) de hidratos de carbono
200 kcal

Ejemplo de menú
(5 raciones de hidratos de carbono)

- Berros a la oriental
- Pechuga de pollo a la plancha, 100 g de patatas
- Una pieza fruta
- 20 g de pan

Importante: Muy indicada cuando la dieta tiene que ser francamente hipocalórica con finalidades adelgazantes.

ENSALADA SIMPLE DE BERROS Y NUECES AL ZUMO DE LIMÓN

Ingredientes

1 caja de berros

3 tallos de apio cortados a rodajas finas

3 manzanas

20 nueces

Para el aderezo

8 cucharadas de aceite de oliva

3 cucharadas de zumo de limón

1 diente de ajo triturado

1 cucharada de perejil picado

1 cucharada de cebollino picado

Sal y pimienta

Preparación

- Pelar y cortar las manzanas a rodajas finas rociándolas con unas gotas de limón.
- En una ensaladera mezclar bien los berros, el apio cortado a rodajas finas, las manzanas y las nueces. Aliñar.

Composición: 30 g (3 raciones) de hidratos de carbono

260 kcal

Ejemplo de menú
(5 raciones de hidratos de carbono)

- Ensalada simple de berros y nueces al zumo de limón
- Conejo a la plancha
- 30 g de pan
- 1 yogur

VALS DE BERROS Y AGUACATE

Ingredientes
1 caja de berros
4 tallos de apio
2 naranjas
1 aguacate
12 aceitunas verdes

Para el aderezo
8 cucharadas de aceite de oliva
1 cucharada de vinagre de vino blanco
1 cucharada de zumo de limón
1 cucharada de polvo de curry
Sal y pimienta

Preparación

- Lavar y cortar los tallos de apio a rodajas muy finas.
- Pelar y deshuesar el aguacate, cortar a trozos pequeños y rociar con un poco de zumo de limón.
- Pelar las naranjas y cortar a rodajas.
- En una ensaladera mezclar los berros, el apio, el aguacate y las rodajas de naranja.
- Aliñar con el aderezo.
- Para hacerlo, mezclar todos los ingredientes, salpimentar ligeramente y remover hasta lograr una salsa consistente.

Composición: 15 g (1,5 raciones) de hidratos de carbono
300 kcal

Ejemplo de menú
(5 raciones de hidratos de carbono)

- Vals de berros y aguacate
- Tortilla rellena con judías (por persona: 2 huevos con 100 g judías cocidas)
- 30 g de pan

TROPICANA DE GAMBAS Y BERROS AL ZUMO DE POMELO

Ingredientes	**Para el aderezo**
1 cajita de berros	2 cucharadas de yogur natural
2 pomelos	2 cucharadas de aceite de oliva
1 docena de gambas	2 cucharadas de zumo
1 cucharada de perejil picado	de pomelo
	Sal y pimienta

Preparación

- En un cazo con abundante agua salada hervir las gambas hasta que estén tiernas. Pelar y reservar.
- Lavar los berros y distribuir en cada uno de los platos.
- Pelar los pomelos y cortarlos a rodajas. Distribuir por encima de los berros y agregar también las gambas.
- Aliñar antes de servir, con el aderezo, que ha de ser una salsa bien consistente

Composición: 15 g (1,5 raciones) de hidratos de carbono
200 kcal

Ejemplo de menú
(5 raciones de hidratos de carbono)

- Tropicana de gambas y berros al zumo de pomelo
- Calamares a la plancha
- Una pieza de fruta
- 40 g de pan

ENSALADA MARINA DE BERROS

Ingredientes
1 cajita de berros
2 endibias
1 cucharada de alcaparras
300 g de carne de pescado
    blanco (lenguado, merluza,
    rape, etc.)

Aderezo
Medio vaso de vino blanco seco
6 cucharadas de aceite de oliva
2 cucharadas de zumo de
    limón
La ralladura de una cáscara de
    limón
1 cucharada de perejil picado
1 chalote picado
Sal y pimienta

Preparación

- Calentar medio vaso de vino blanco seco en una sartén y cocer el pescado durante 2 minutos. Sacar el pescado, colocar en un cazo junto con el aderezo y mantenerlo en adobo durante 10 minutos.

- Cortar las endibias a tiras y ponerlas en una ensaladera junto a los berros. Agregar el pescado cortado a trozos.

- Poner el aderezo en una sartén, hervirlo hasta reducirlo a la mitad, añadir las alcaparras, dar un hervor rápido y rociar con él la ensalada mientras esté caliente.

Composición: 5 g ($^1/_2$ ración) de hidratos de carbono
275 kcal

Ejemplo de menú
(5 raciones de hidratos de carbono)

- Ensalada marina de berros
- Tortilla de patatas (1 huevo, la clara de otro y 150 g de patatas)
- Una pieza de fruta
- 2 porciones de queso rebajado de grasa (Sveltesse, Santé, etc.)

Comentario: Especialmente útil en las dietas de adelgazamiento.

BRÓCULI

Vegetal de características muy parecidas a la coliflor pero más rico en minerales (calcio, fósforo, magnesio, hierro) y, sobre todo, en vitamina A. Contiene también vitaminas B1, B2, niacina, B6, E y C.

Alimento muy recomendable en la dieta del diabético por su bajo porcentaje en hidratos de carbono (5 %).

Lo clásico es tomar el bróculi hervido acompañado de patatas y es, también, un magnífico ingrediente de diversos platos de ensalada.

ENSALADA OTOÑAL DE BRÓCULI, AGUACATE Y NUECES

Ingredientes
1 bróculi
1 aguacate
80 g de nueces

Para el aderezo
5 cucharadas de aceite
1 cucharada de zumo de limón
1 cucharada de mostaza
1 cucharada de perejil picado
Sal y pimienta

Preparación

- Lavar y separar los ramitos del bróculi desechando el tronco. En un cazo con abundante agua salada hervir el bróculi durante 3 minutos. Escurrir y reservar.
- Pelar, deshuesar y cortar el aguacate a dados. Rociar ligeramente con zumo de limón para que no ennegrezca.
- En una ensaladera mezclar los ramitos de bróculi, el aguacate y las nueces troceadas.
- En un bol mezclar el aceite, el zumo de limón y la mostaza. Salpimentar y remover hasta formar una salsa compacta.
- Aliñar y, antes de servir, espolvorear por encima con el perejil picado.

Composición: 10 g (1 ración) de hidratos de carbono

273 kcal

Ejemplo de menú
(5 raciones de hidratos de carbono)

- Ensalada otoñal de bróculi, aguacate y nueces
- Rape a la plancha con 100 g de patatas hervidas
- Una pieza de fruta
- 1 biscote

ENSALADA DE BRÓCULI A LA ANDALUZA

Ingredientes
1 bróculi (unos 500 g)
1 pimiento amarillo
4 filetes de anchoa
2 cucharadas de alcaparras
60 g de aceitunas negras
  deshuesadas
60 g de aceitunas verdes
  deshuesadas

Para el aderezo
5 cucharadas de aceite de oliva
2 cucharadas de vinagre
Sal y pimienta

Preparación

- Poner las alcaparras en un cazo con agua durante un par de horas. Transcurrido este tiempo escurrir y enjuagar.
- Lavar y cortar los ramitos del bróculi desechando el tronco. En un cazo con abundante agua salada hervir el bróculi durante 3 minutos. Escurrir y reservar.
- Lavar y cortar el pimiento amarillo. Quitar las semillas y cortar a tiras muy finas.
- Cortar los filetes de anchoa a trozos muy pequeños.
- En una ensaladera mezclar el bróculi, el pimiento, los filetes de anchoa, las alcaparras y las aceitunas.
- Aliñar y mezclar bien.

Composición: 10 g (1 ración) de hidratos de carbono
200 kcal

Ejemplo de menú
(5 raciones de hidratos de carbono)

- Ensalada de brócuⅼi a ⅼa andaⅼuza
- Atún a ⅼa pⅼancha
- Una pieza de fruta
- 50 g de pan

ENSALADA SERRANA DE BRÓCULI CON SEMILLAS DE SÉSAMO

Ingredientes

400 g de brócuⅼi
1 cajita de tomates enanos
(cherry)
200 g de jamón serrano
2 cucharadas de semiⅼⅼas
de sésamo tostadas

Para el aderezo

8 cucharadas de aceite de oⅼiva
2 cucharadas de vinagre
1 diente de ajo machacado
Saⅼ y pimienta

Preparación

- Lavar y cortar eⅼ brócuⅼi a ramitos, desechando eⅼ tronco. Escaⅼdar eⅼ brócuⅼi en agua con un poco de saⅼ durante 5 minutos. Pasarⅼo por agua fría y escurrir. Reservar.
- Lavar y partir ⅼos tomates por ⅼa mitad.
- Cortar eⅼ jamón a ⅼáminas de unos 3 cm de ⅼargo y quitarⅼe ⅼa grasa.
- Mezcⅼar todos ⅼos ingredientes en una fuente de servir y verter por encima eⅼ aderezo.
- Antes de servir espoⅼvorear por encima con ⅼas semiⅼⅼas de sésamo.

Composición: 10 g (1 ración) de hidratos de carbono
290 kcal

Ejemplo de menú
(5 raciones de hidratos de carbono)

- Ensalada serrana de bróculi con semillas de sésamo
- Pollo al horno con 100 g de patatas fritas
- 1 yogur
- 1 biscote

BRÓCULI CON PIMIENTO Y ALMENDRAS TOSTADAS A LAS FINAS HIERBAS

Ingredientes

400 g de bróculi
1 pimiento rojo
100 g de almendras tostadas

Para el aderezo

8 cucharadas de aceite de oliva
2 cucharadas de vinagre
de manzana
1 diente de ajo
1 cucharada de hierbas picadas
(perejil, menta, cebollino)

Preparación

- Cortar el bróculi a ramitos desechando el tronco. En un cazo con abundante agua salada hervir durante 5 minutos. Pasar por agua fría, escurrir y reservar.
- Poner el pimiento rojo en una cazuela de barro con un poco de aceite de oliva por encima. Meter en el horno a temperatura media hasta que esté asado. Retirar del horno, sacar la piel y las semillas y cortar a tiras muy finas. Reservar.
- Mezclar el bróculi, el pimiento y las almendras en una ensaladera.

- Machacar el ajo, el perejil, la menta y el cebollino en un mortero y mezclar con el aceite de oliva y el vinagre de manzana. Salpimentar ligeramente y remover hasta lograr un aliño espeso.
- Rociar todo con el aderezo y remover bien.

Composición: 15 g (1,5 raciones) de hidratos de carbono
380 kcal

Ejemplo de menú
(5 raciones de hidratos de carbono)

- Bróculi con pimiento y almendras tostadas a las finas hierbas
- Bistec a la plancha
- Una pieza de fruta
- 40 g de pan

BRÓCULI CON SALSA LONGARES

Ingredientes
200 g de bróculi
½ lechuga
Un manojo de berros
1 bulbo de hinojo
1 pimiento verde
200 g de alcachofas
   en conserva

Para el aderezo
3 cucharadas de mahonesa
3 cucharadas de yogur natural
2 cebolletas
2 filetes de anchoa
1 diente de ajo triturado
½ cucharada de zumo
   de limón
1 cucharada de vinagre
   de estragón
2 cucharadas de perejil picado
Sal y pimienta

Preparación

- Lavar y cortar el bróculi a ramitos desechando el tronco. Hervir durante 4 minutos en un cazo con abundante agua salada. Pasar por agua fría, escurrir y reservar.
- Lavar y cortar la lechuga y los berros muy menuditos.
- Lavar y cortar el bulbo de hinojo a rodajas finas.
- Lavar y cortar el pimiento a tiras finas quitándole las semillas y las fibras.
- En una ensaladera mezclar el bróculi, la lechuga, los berros, el pimiento, las alcachofas y las rodajas de hinojo.
- Machacar el ajo en un mortero y picar el perejil. Pelar las cebolletas y cortarlas muy finas. Cortar las anchoas a trozos muy pequeños. Mezclar todo ligeramente salpimentado con el yogur, la mahonesa, el zumo de limón y el vinagre de estragón. Remover hasta lograr una salsa espesa. Aliñar.

Composición: 10 g (1 ración) de hidratos de carbono
120 kcal

Ejemplo de menú
(5 raciones de hidratos de carbono)

- Bróculi con salsa longares
- Salmón a la plancha
- 1 tostada de pan untada de tomate (50 g de pan)
- Una pieza de fruta

CALABACÍN

Vegetal muy apto para ser incluido en la dieta del diabético por su baja proporción en hidratos de carbono (alrededor del 3%), su interesante aportación de oligoelementos (potasio, calcio, fósforo y vitaminas A, B1, B2 y C) y sus múltiples posibilidades gastronómicas.

En la cocina tradicional se consume en tortilla o como acompañamiento en segundos platos rebozado o frito a rodajas finas. Preparado en forma de sopa fría, la crema de calabacín, que es simplemente el vegetal pasado por la licuadora agregando previamente una porción de queso sin grasa, se emplea con frecuencia como entrante en las dietas hipocalóricas.

CALABACÍN A LAS FINAS HIERBAS

Ingredientes
3 calabacines
Hojas de lechuga
Sal

Aderezo
½ yogur natural

2 cucharadas de mahonesa
1 cucharada de perejil fresco
1 cucharada de estragón fresco
1 cucharada de perifollo fresco
1 cucharada de cebollino fresco
Pimienta

Preparación

- Lavar y cortar los calabacines en láminas grandes.
- Cubrir los calabacines con papel absorbente, sazonarlos y dejarlos reposar durante 1 hora.
- En un bol mezclar bien los calabacines con el aderezo.
- Picar el perejil, el estragón, el perifollo y el cebollino. Una vez picadas las hierbas mezclar con la mahonesa, el yogur natural y una pizca de pimienta. Remover bien hasta que el aliño esté bien espeso.
- Servir los calabacines en platos individuales servidos sobre hojas de lechuga grandes, y aderezados.

Composición: 5 g (½ ración) de hidratos de carbono
60 kcal

Ejemplo de menú
(5 raciones de hidratos de carbono)

- Calabacín a las finas hierbas
- 200 g de garbanzos hervidos (pesados ya cocidos)
- 50 g de queso de Burgos

Importante: Plato hipocalórico muy útil cuando el objetivo es adelgazar.

SALTEADO DE VERDURAS CON CALABACINES

Ingredientes

3 calabacines
1 bulbo de hinojo
1 cebolla grande
1 pimiento rojo
1 pimiento verde
1 pimiento amarillo
1 tomate maduro grande

1 diente de ajo

1 cucharada de tomillo
fresco picado

1 cucharada de hojas de
albahaca picada

6 cucharadas de aceite de oliva

Hojas de lechuga

Sal y pimienta

Preparación

- Lavar, pelar y cortar a láminas finas los calabacines, el hinojo y la cebolla.
- Lavar y cortar los pimientos a cuadraditos, retirando las semillas y las fibras.
- Lavar, pelar y quitar las semillas del tomate. Cortarlo a trozos pequeños.
- En una cazuela de barro con un poco de aceite cocer durante 5 minutos a fuego lento el hinojo, la cebolla y el ajo picadito.
- Transcurrido este tiempo añadir el tomate y dejar cocer otros 10 minutos.
- Añadir los pimientos, los calabacines y el tomillo fresco picado, salpimentar y dejar cocer 5 minutos.
- Servir en cada plato sobre hojas de lechuga.

Composición: 15 g (1,5 raciones) de hidratos de carbono
195 kcal

Ejemplo de menú
(5 raciones de hidratos de carbono)

- Salteado variado con calabacines
- Pollo al horno
- Una pieza de fruta
- 40 g de pan

CALABACINES À LA MERCURE

Ingredientes

3 calabacines (250-300 g)

4 tomates

50 g de aceitunas negras
deshuesadas

1 cucharada de perejil picado

Para el aderezo

9 cucharadas de aceite de oliva

2 cucharadas de vinagre

1 cucharadita de mostaza

3 dientes de ajo machacados

Sal y pimienta

Preparación

- Lavar y cortar los calabacines a rodajas muy finas.
- Picar los ajos, agregar la cucharada de mostaza, el vinagre y el aceite de oliva y remover hasta que espese. Salpimentar.
- Colocar los calabacines en una ensaladera y aliñarlos con 6 cucharadas del aderezo. Macerar durante 8-10 horas.
- Cortar los tomates a rodajas finas y mezclarlas con el calabacín junto con las aceitunas negras y el perejil picado.

Composición: 10 g (1 ración) de hidratos de carbono
262 kcal

Ejemplo de menú
(5 raciones de hidratos de carbono)

- Calabacines *à la mercure*
- Salmón a la plancha
- Una pieza fruta
- 50 g de pan

ENSALADA INGLESA CON CALABACINES Y MAGRET DE PATO

Ingredientes

2 calabacines
Un puñado de berros
2 naranjas
2 magrets de pato
1 cucharada de semillas
de sésamo tostadas

Para el aderezo

6 cucharadas de aceite de oliva
2 cucharadas de aceite
de sésamo
2 cucharadas de vinagre
de vino tinto
1 cucharada de perejil picado
1 cucharada de cáscara
de naranja
Sal y pimienta

Preparación

- Lavar y cortar los calabacines en cintas largas y finas.
- Pelar las naranjas y cortarlas en rodajas finas.
- En una cazuela de barro con 1 cucharada de aceite de oliva y otra de aceite de sésamo freír durante 7 minutos las pechugas a las que previamente se les habrá realizado 3 o 4 cortes paralelos. Retirar del fuego hasta que doren. Cortar a rodajas muy finas.
- Colocar en cada plato las pechugas, los calabacines, las naranjas y las hojas de berros.
- Para el aderezo, picar el perejil y mezclarlo con el vinagre, el aceite de oliva, el aceite de sésamo y la cáscara de naranja rallada. Salpimentar ligeramente y remover hasta que espese.
- Aliñar y espolvorear con las semillas de sésamo tostadas.

Composición: 15 g (1,5 raciones) de hidratos de carbono
390 kcal

Ejemplo de menú
(5 raciones de hidratos de carbono)

- Ensalada inglesa con calabacines y magret de pato
- 40 g de pan
- 1 yogur

Importante: Esta ensalada es por sí sola una comida completa, ya que aporta los vegetales, las proteínas y la fruta.

CALABACINES CON TRUCHA Y BROTES DE ALFALFA AL VINAGRE DE ESTRAGÓN

Ingredientes

2 calabacines
1 zanahoria
1/2 pepino pelado
Un puñado de brotes de alfalfa
1 lechuga
2 truchas
  (mejor asalmonadas)

Para el aderezo

8 cucharadas de aceite de oliva
2 cucharadas de vinagre
  de estragón
1 cucharadita de mostaza
  de Dijon
1 1/2 cucharada de estragón
  fresco
Sal

Preparación

- Con un cepillo de cocina untar las truchas con un poco de aceite por ambos lados, salpimentar ligeramente y ponerlas en una cazuela de barro. Meter la cazuela en el horno y asar en el grill de 10 a 12 minutos. Retirar del horno y quitar la piel y las espinas de las truchas y cortar su carne a trozos.

- Lavar y pelar los calabacines y el pepino y cortarlos a rodajas finas.
- Lavar la zanahoria y rallarla.
- En un bol mezclar los calabacines, el pepino, la zanahoria y los brotes de alfalfa. Remover y colocar encima la trucha desmenuzada. Rociar con el aderezo.
- Servir colocando las hojas de lechuga en la base de los platos y la ensalada de calabacín por encima.
- Para el aderezo, mezclar en un bol el aceite, el vinagre, la mostaza y el estragón picado. Sazonar y remover hasta lograr una salsa consistente.

Composición: 15 g (1,5 raciones) de hidratos de carbono
386 kcal

Ejemplo de menú
(5 raciones de hidratos de carbono)

- Calabacines con trucha y alfalfa al vinagre de estragón
- Una pieza de fruta
- 50 g de queso blanco tierno
- 40 g de pan

Importante: Igual que la anterior, esta ensalada agrupa el primer y el segundo plato.

CAPUCHINOS

Verdura de invierno semejante a las judías tiernas anchas. Al ser una verdura diferente y un vegetal menos conocido y utilizado, su uso enriquece las posibilidades de diversificación de los menús en la dieta del diabético y permite luchar contra la monotonía gastronómica. Se utiliza con frecuencia en la cocina oriental.

ENSALADA DE CAPUCHINO, LICHIS Y POLLO A LA ORIENTAL

Ingredientes

150 g de capuchinos
1 pechuga de pollo
1/4 de col china
12 lichis naturales
1 cucharada de jengibre fresco
1 diente de ajo
2 cucharadas de aceite
 de sésamo

Aderezo

2 cucharadas de aceite
 de sésamo
4 cucharadas de vinagre
 de arroz
1 cucharada de salsa de soja
1 cucharadita de puré
 de tomate

Preparación

- Cortar los capuchinos en diagonal a tiras muy finas.
- Cortar la pechuga a tiras ligeramente más grandes que los trozos de capuchino.
- Desmenuzar la col china.
- En sartén a fuego lento freír el pollo con 2 cucharadas de aceite de sésamo junto al ajo y el jengibre picados. Cuando dore el pollo añadir los capuchinos y dejarlos freír durante 1 minuto.
- Retirar todos los ingredientes del fuego y poner en una ensaladera agregando los lichis. Aliñar.
- En cada uno de los platos poner una capa de col china desmenuzada con la ensalada por encima.
- Para el aderezo, mezclar bien en un bol el aceite de sésamo, el vinagre de arroz, la soja y el puré de tomate hasta que el aliño esté bien especiado.

Composición: 15 g (1,5 raciones) de hidratos de carbono
175 kcal

Ejemplo de menú
(5 raciones de hidratos de carbono)

- Ensalada de capuchinos, pollo y lichis a la oriental
- Merluza a la plancha con 100 g de patata hervida
- Una pieza de fruta

CAPUCHINOS AL LIMÓN

Ingredientes
150 g de capuchinos
20 espárragos verdes
2 aguacates
Un manojo de berros
Un puñado de brotes de alfalfa

Para el aderezo
6 cucharadas de aceite de oliva
2 cucharadas de zumo de limón
1 cucharada de ralladura
 de limón
Sal y pimienta

Preparación

- En un cazo con abundante agua salada hervir los capuchinos durante 2 minutos. Escurrir y reservar.
- En otro cazo hervir los espárragos durante de 8 a 10 minutos. Escurrir y reservar.
- Pelar, deshuesar y cortar los aguacates a láminas.
- En una ensaladera mezclar todos ingredientes añadiendo los berros y los brotes de alfalfa. Aliñar.
- Para el aderezo, mezclar todos los ingredientes ligeramente salpimentados hasta formar una salsa compacta.

Composición: 10 g (1 ración) de hidratos de carbono
235 kcal

Ejemplo de menú
(5 raciones de hidratos de carbono)

- Capuchinos al limón
- Bistec a la plancha con 100 g de judías hervidas (pesadas cocidas)
- Una pieza de fruta
- 1 biscote

CAPUCHINOS A LA HUERTA

Ingredientes

125 g de capuchinos
1 lechuga francesa
$1/2$ escarola
1 endibia
$1/2$ pepino
3 cebollas tiernas
12 aceitunas verdes
50 g de nueces

Para el aderezo

8 cucharadas de aceite de oliva
1 $1/2$ cucharada de vinagre
1 cucharadita de mostaza
1 diente de ajo
Sal y pimienta

Preparación

- Hervir los capuchinos en abundante agua ligeramente salada durante 3 minutos. Pasar por agua fría y escurrir.
- Lavar y cortar a trozos pequeños la lechuga, la escarola y la endibia.
- Pelar y cortar a rodajas finas las cebollas tiernas.
- Lavar y cortar el pepino a rodajas finas.
- Mezclar todas las verduras en una ensaladera junto con las aceitunas y las nueces. Aliñar.
- Para el aderezo, machacar el ajo en un mortero y mezclar ligeramente salpimentado con la mostaza, el vinagre y el aceite de oliva.

Composición: 10 g (1 ración) de hidratos de carbono
293 kcal

Ejemplo de menú
(5 raciones de hidratos de carbono)

- Capuchinos a la huerta
- Pechuga de pollo a la plancha
- Una pieza de fruta
- 50 g de pan

ENSALADA DE CAPUCHINOS Y GAMBAS CON SALSA DE SOJA

Ingredientes
200 g de capuchinos
12 gambas

Para el aderezo
El zumo de un limón
La ralladura de un limón
3 cucharadas de salsa de soja
Sal y pimienta

Preparación

- En un cazo hervir con agua ligeramente salada los capuchinos durante 3 minutos. Pasar por agua fría y escurrir.
- Pelar las gambas y freírlas a fuego lento en una sartén con 3 cucharadas de aceite. Agregar el aderezo y cocer 1 minuto más.
- Repartir los capuchinos en los platos individuales y poner encima de ellos las gambas regado todo con el aderezo de la sartén.

Composición: 5 g (½ ración) de hidratos de carbono
370 kcal

Ejemplo de menú
(5 raciones de hidratos de carbono)

- Ensalada de capuchinos y gambas con salsa de soja
- Una tortilla a la francesa
- 60 g de pan tostado y untado con tomate y un poco de aceite y sal
- Una pieza de fruta

CAPUCHINOS CON POLLO AL VINAGRE DE JEREZ

Ingredientes

150 g de capuchinos

1 mango

2 pechugas de pollo

75 g de anacardos

1 cáscara de lima rallada

1 cucharada de hojas
de coriandro picadas

1 cucharada de semillas
de sésamo tostadas

Para el aderezo

5 cucharadas de aceite de oliva

1 diente de ajo triturado

2 cucharadas de vinagre
de jerez

El zumo de una lima

Sal y pimienta

Preparación

- En un cazo con abundante agua salada hervir los capuchinos durante 2 minutos. Pasar por agua fría y escurrir.
- Cortar las pechugas a filetes y freírlas a fuego lento con poco aceite durante 3 minutos, dándoles la vuelta a mitad de cocción. Reservar.

- En la misma sartén donde hemos freído las pechugas, agregar el aderezo y cocer unos minutos.
- En una ensaladera mezclar bien los capuchinos, los anacardos y las pechugas.
- Pelar el mango, deshuesar y cortar la pulpa a trozos. Añadir a la ensaladera. Añadir las ralladuras de la cáscara de lima, las hojas de coriandro y el aderezo. Remover. Rociar con las semillas de sésamo.

Composición: 15 g (1,5 raciones) de hidratos de carbono
349 kcal

Ejemplo de menú
(5 raciones de hidratos de carbono)

- Capuchinos con pollo al vinagre de jerez
- Sepia a la plancha
- Una pieza de fruta
- 40 g de pan

CHAMPIÑONES

Las setas son vegetales de amplio uso en gastronomía en especial como complemento en guisos de carne, en tortillas, etc.

Una de sus variedades más utilizadas son los champiñones. En su composición, la proporción de hidratos de carbono es muy pequeña (menos de un 3 %) y, por lo tanto, los diabéticos pueden consumirlos sin miedo a sufrir una hiperglucemia. Contienen fósforo, calcio, magnesio y hierro, y vitaminas E, B1, B2, niacina y B6.

CHAMPIÑONES À LA QUOTIDIENNE

Ingredientes
400 g de champiñones
1 cebolla picada
2 cucharadas
  de aceite de oliva
1 lechuga
Sal y pimienta

Para el aderezo
Un vasito de vino blanco
El zumo de un limón
1 cucharada de concentrado
  de tomate
1 diente de ajo triturado
1 hoja de laurel
1 pizca de tomillo
Sal y pimienta

Preparación

- En una cazuela de barro con un poco de aceite dorar la cebolla y añadir los champiñones cortados a láminas finas. A continuación, agregar todos los ingredientes. Salpimentar y tapar la cazuela. Dejar cocer durante unos 10 minutos a fuego medio, removiendo de vez en cuando.
- Lavar la lechuga y cortarla muy menudita. Verter por encima los champiñones. Servir tibios o fríos.

Composición: 5 g (½ ración) de hidratos de carbono
70 kcal

Ejemplo de menú
(5 raciones de hidratos de carbono)

- Champiñones *à la quotidienne*
- Solomillo de ternera con 150 g de patatas y 1 tomate maduro
- 1 yogur
- 1 biscote

COL CHINA

La col es, con toda probabilidad, el vegetal más representativo en el grupo de las verduras. Existen numerosas variedades, todas ellas ricas en celulosa, elementos minerales y vitaminas.

El método más corriente de cocinar la col es hervirla y, en general, se sirve acompañada de patatas hervidas y aliñadas con aceite.

Algunas variedades se consumen crudas en ensaladas dando al plato un cierto exotismo y contribuyendo a combatir la monotonía de los platos de verdura. Así ingeridas, su digestión no es la más óptima pero en general suelen ser suficientemente bien toleradas en las personas con aparato digestivo no muy delicado. Para mejorar dicha digestibilidad se recomienda ingerirla muy desmenuzada.

La col china es una de las variedades más característica para ingerirse cruda. En la dieta del diabético tiene la ventaja de que su proporción en hidratos de carbono es de las más bajas de entre todos los vegetales comestibles (alrededor de un 1 %). En su composición hay calcio, fósforo, magnesio y hierro, además de vitaminas del grupo B y vitamina C.

ENSALADA DE COL CHINA CON RAÍZ DE JENGIBRE

Ingredientes
1 col china
1 pepino
125 g de soja (brotes)
5 cebollas tiernas
1 cucharada de perejil picado

Para el aderezo
8 cucharadas de aceite de oliva
1 cucharada de vinagre
1 cucharada de mostaza
1 diente de ajo triturado
3 cm de raíz de jengibre
Sal y pimienta

Preparación
- Lavar y cortar la col china muy menudita, y pelar y cortar el pepino y las cebollas tiernas en juliana (muy finas).
- Mezclar la col, el pepino, las cebollas y la soja en una ensaladera.
- Machacar el jengibre y el ajo en un mortero y mezclar bien con el aceite, el vinagre, la mostaza, todo ligeramente salpimentado. Dejar reposar unos 30 minutos antes de mezclar con la ensalada.
- Antes de servir espolvorear por encima con el perejil picado.

Composición: 5 g (½ ración) de hidratos de carbono
185 kcal

Ejemplo de menú
(5 raciones de hidratos de carbono)
- Ensalada de col china con raíz de jengibre
- Pierna de cordero a la plancha con 100 g de patatas hervidas y 1 tomate maduro
- Una pieza de fruta
- 20 g de pan

Importante: Fórmula hipocalórica idónea para dietas de adelgazamiento.

ENSALADA DE COL CHINA Y POLLO

Ingredientes
½ col china
1 pepino
1 pimiento rojo
(sin semillas ni venas)
100 g de brotes de soja
2 cucharadas de cilantro
fresco picado
80 g de cacahuetes tostados
y picados
1 pechuga de pollo

Para el aderezo
½ cebolla roja (u otro tipo
de cebolla no picante)
2 dientes de ajo machacados
2 cucharaditas de jengibre
fresco rallado
3 cucharadas de aceite de oliva
2 cucharadas de salsa de soja
1 cucharadita de tabasco
Una pizca de sal

Preparación

- En un cazo con abundante agua salada se hierve la pechuga durante unos 10 minutos. Transcurrido este tiempo tapar el cazo y dejar reposar 15 minutos. Escurrir, dejar enfriar y cortar a tiras finas de unos 6 cm.
- Lavar y pelar el pepino quitándole las semillas. Cortar a tiras finas de unos 6 cm de grosor.
- En una ensaladera se pone la col china desmenuzada muy finamente, los brotes de soja y las tiras de pepino, el pimiento y el pollo. Agregar los cacahuetes.
- Para el aderezo, picar en un mortero la cebolla muy menudita y los dientes de ajo. Rallar el jengibre y mezclar todo con el aceite de oliva, la salsa de soja y el tabasco ligeramente salpimentado.
- Verter el aderezo, mezclar y espolvorear por encima con el cilantro.

Composición: 10 g (1 ración) de hidratos de carbono
252 kcal

Ejemplo de menú
(5 raciones de hidratos de carbono)
- Ensalada de col china y pollo
- Rape a la plancha con 100 g de patata hervida
- Una pieza de fruta
- 1 biscote

ENSALADA DE COL CHINA

Ingredientes
1 col china
  (unos 500 g)
2 zanahorias
5 tallos de apio
2 cucharadas de perejil
  fresco picado

Para el aderezo
2 cucharadas de aceite de oliva
3 cucharaditas de harina
2 cucharaditas de vinagre
½ cucharadita de mostaza
1 huevo batido
Una pizca de pimentón
Sal y pimienta

Preparación
- En una ensaladera mezclar la col desmenuzada, las zanahorias ralladas, el apio cortado a rodajas finas y el perejil picado fresco.
- Para preparar el aderezo, mezclar el aceite y la harina en una cacerola, añadir 125 ml de agua, el vinagre, la mostaza, el huevo, la sal, la pimienta y el pimentón. Calentar a fuego muy lento sin dejar de remover hasta que espese. Aderezar.

Composición: 15 g (1,5 raciones) de hidratos de carbono
122 kcal

Ejemplo de menú
(5 raciones de hidratos de carbono)
- Ensalada de col china
- Tortilla de ajos tiernos
- 40 g de pan (tostado y untado con tomate y un poco de aceite)
- Una pieza de fruta

MIXTA DE COL CHINA, PIMIENTO Y PUERRO A LAS FINAS HIERBAS

Ingredientes
1 col china
1 pimiento verde
1 puerro

Para el aderezo
1 yogur natural
1 diente de ajo

1 cucharada de vinagre
de manzana
1 cucharada de perejil picado
1 cucharada de cebollino picado
1 cucharada de menta picada
Sal y pimienta

Preparación
- Lavar y desmenuzar la col china.
- Lavar y cortar el pimiento a tiras muy finas.
- Lavar y cortar el puerro a rodajas.

- En un mortero machacar el ajo, el perejil, el cebollino y la menta. Mezclar con el yogur y el vinagre salpimentando ligeramente.
- Mezclar todos los ingredientes en una ensaladera y aliñar.

Composición: 5 g (½ ración) de hidratos de carbono
32 kcal

Ejemplo de menú
(5 raciones de hidratos de carbono)
- Mixta de col china, pimiento y puerro a las finas hierbas
- Pechuga de pavo a la plancha (servir con la ensalada)
- Una pieza de fruta
- 50 g de pan

Importante: Pertenece al grupo de ensaladas especialmente hipocalóricas muy útiles cuando el objetivo es perder peso.

ENSALADA DE COL CHINA CON APIO Y MANZANA

Ingredientes
1 col china
2 tallos de apio
1 bulbo de apio
1 puerro
1 manzana ácida

Para el aderezo
1 yogur natural
3 cucharadas de mahonesa
Sal y pimienta

Preparación

- Lavar el apio y el puerro y cortarlos a rodajas finas.
- Lavar la col y cortarla muy menudita.
- Pelar la manzana y cortarla a trozos pequeños.
- En una ensaladera mezclar todos los ingredientes y aliñar.

Composición: 15 g (1,5 raciones) de hidratos de carbono
140 kcal

Ejemplo de menú
(5 raciones de hidratos de carbono)

- Ensalada de col china con apio y manzana
- Merluza a la romana elaborada con 1 cucharada de harina y 1 tomate maduro
- Una pieza de fruta
- 1 biscote

COL DE BRUSELAS

Verdura con característico sabor, muy diferente al de otros vegetales; está muy indicada en la dieta del diabético. Aunque la proporción en hidratos de carbono es ligeramente más alta que la de otras verduras (alrededor de un 7 %), no suele comerse acompañada de patatas, como es generalmente costumbre con la col, las acelgas etc.

Cuando se utilizan las verduras con frecuencia su especial sabor permite romper la monotonía.

Es un excelente nutriente ya que contiene casi un 4 % de proteínas y muy diversos minerales (fósforo, magnesio, calcio, hierro) y vitaminas A, B1, B2, B3, B6 y C.

Las coles de Bruselas suelen consumirse hervidas, rehogadas y en ensalada.

COLES DE BRUSELAS A LA SERRANÍA

Ingredientes
800 g de coles de Bruselas
160 g de jamón del país
  (limpio de grasa)
3 chalotes
1 cucharada de perejil
  picado

Para el aderezo
8 cucharadas de aceite de oliva
2 cucharadas de vinagre
1 cucharada de queso
  parmesano
Una pizca de nuez moscada
Sal y pimienta

Preparación

- Limpiar las coles de Bruselas y dejar escurrir. Hervirlas en abundante agua salada unos 20 minutos. Escurrir y reservar.
- Cortar el jamón del país en lonchas de unos 4 cm.
- Pelar los chalotes y cortarlos a rodajas muy finas.
- Rallar el queso parmesano y colocarlo en un bol. Agregar el aceite de oliva, el vinagre, la nuez moscada y salpimentar. Remover hasta formar una salsa espesa.
- En una ensaladera poner todos los ingredientes, remover bien y mezclar con el aderezo.
- Antes de servir espolvorear por encima el perejil picado.

Composición: 15 g (1,5 raciones) de hidratos de carbono
310 kcal

Ejemplo de menú
(5 raciones de hidratos de carbono)

- Coles de Bruselas a la serranía
- Calamares a la plancha
- Una pieza de fruta
- 40 g de pan

COL LOMBARDA

El destacado color rojo de sus hojas contrasta con el habitual verde de las otras verduras, lo que permite dar un atractivo especial a las ensaladas. Se suele comer cruda cortada muy menudita.

Contiene potasio, calcio, fósforo, magnesio y hierro. Además, contiene diversas vitaminas tales como la vitamina E, B1, B2, B6 y C.

MIXTA DE COL LOMBARDA, *RADICCHIO* Y RÁBANOS

Ingredientes
1/4 kg de col lombarda
1 *radicchio*
1 cebolla roja
Un manojo de rábanos

Para el aderezo
8 cucharadas de aceite de oliva
1 cucharada de vinagre
1 cucharada de mostaza
3 dientes de ajo triturados
1 cucharada de perejil picado
Sal y pimienta

Preparación

- Lavar la col lombarda y cortarla muy menudita. Meter en una ensaladera y aderezar con 6 cucharadas de aliño. Mezclar bien y marinar durante 1 hora en el frigorífico removiendo de vez en cuando.
- Lavar y cortar el *radicchio* muy menudito.
- Lavar y cortar los rábanos a láminas muy finas.
- Pelar y cortar la cebolla a rodajas finas.
- Agregar el *radicchio*, los rábanos y la cebolla con la col lombarda. Mezclar todo y colocar en una fuente de servir. Antes de servir espolvorear con el perejil picado.

Composición: 5 g (¹/₂ ración) de hidratos de carbono
200 kcal

Ejemplo de menú
(5 raciones de hidratos de carbono)

- Mixto de col lombarda, *radicchio* y rábanos
- Tortilla rellena de habichuelas (100 g de habichuelas, pesadas cocidas)
- Una pieza de fruta
- 20 g de pan

ENSALADA DE COL LOMBARDA A LA FRANCESA

Ingredientes
¼ kg de col lombarda
3 manzanas
1 puerro
1 cucharada de cebollino
  picado

Para el aderezo
8 cucharadas de aceite de oliva
2 cucharadas de vinagre
1 cucharadita de mostaza
1 diente de ajo triturado
Sal y pimienta

Preparación

- Lavar y cortar la col lombarda muy menudita y colocar en un bol. Agregar 6 cucharadas de aderezo y dejar marinar durante 1 hora, removiendo de vez en cuando.
- Pelar y cortar las manzanas a cuartos y después a lonchas finas.
- Lavar y cortar el puerro a lonchas muy finas.
- Mezclar las manzanas y el puerro con la col lombarda. Agregar 6 cucharadas más de aderezo, mezclar bien y antes de servir espolvorear por encima con el cebollino picado.

Composición: 25 g (2,5 raciones) de hidratos de carbono
290 kcal

Ejemplo de menú
(5 raciones de hidratos de carbono)

- Ensalada de col lombarda a la francesa
- Bistec a la plancha
- 1 yogur
- 40 g de pan

ENSALADA ROJA DE COL LOMBARDA

Ingredientes
¹/₄ kg de col lombarda
1 *lollo* (escarola roja)
1 *radicchio*
200 g de remolacha hervida
1 cebolla roja
Un puñado de granos
  de granada

Para el aderezo
8 cucharadas de aceite de oliva
2 cucharadas de vinagre
1 cucharadita de mostaza
1 diente de ajo
Sal y pimienta

Preparación

- Lavar y cortar la col lombarda muy menudita.
- Lavar y cortar el *lollo* y el *radicchio* a trozos pequeños.
- Pelar y cortar la cebolla en juliana (muy fina).
- Hervir la remolacha en abundante agua salada hasta que esté tierna.
- Partir la granada y desmenuzar sus granos.
- Machacar el ajo en un mortero y mezclar bien con el aceite, el vinagre y la mostaza todo ligeramente salpimentado.
- Mezclar todos los ingredientes en una ensaladera y aliñar.

Composición: 10 g (1 ración) de hidratos de carbono
210 kcal

Ejemplo de menú
(5 raciones de hidratos de carbono)

- Ensalada roja de col lombarda
- Pollo guisado
- Una pieza de fruta
- 50 g de pan

MIXTA DE COLES AL QUESO PARMESANO

Ingredientes

1/4 kg de col lombarda pequeña

1/2 col china

100 g de queso parmesano

Para el aderezo

6 cucharadas de aceite de oliva

4 cucharadas de vinagre

4 filetes de anchoa

2 chalotes picados finamente

Una pizca de comino en polvo

1 cucharadita de salsa tabasco

Sal y pimienta

Preparación

- En una cacerola a fuego lento calentar 4 cucharadas de vinagre. Antes de que hierva agregar los chalotes picados y las anchoas, previamente chafadas con un tenedor.

- Sin dejar de remover para que las anchoas se deshagan, cocer hasta que los chalotes se doren. Agregar entonces el comino y el tabasco y retirar del fuego.

- Mezclar con el aceite de oliva, batiendo la salsa con un mezclador hasta lograr un aliño compacto.

- Cortar el queso parmesano a virutas. Lavar la col lombarda y la col china y cortarlas muy menuditas. Mezclar el queso parmesano con las coles en una ensaladera y aliñar.

Composición: 5 g (1/2 ración) de hidratos de carbono
271 kcal

Ejemplo de menú
(5 raciones de hidratos de carbono)

- Mixta de coles al queso parmesano
- Lenguado a la plancha con 100 g de patatas hervidas
- Una pieza de fruta
- 20 g de pan

COLIFLOR

Se trata de un vegetal muy indicado para ser utilizado en la dieta del diabético por su baja proporción en hidratos de carbono y su notable proporción de fibra.

Tiene un 2,5 % de proteínas, y abundantes minerales y vitaminas: calcio, fósforo, magnesio, hierro y vitaminas A, B1, B2, B3, B6, E y C.

Se suele consumir hervida, acompañada generalmente de patatas.

En nuestro país es habitual cocinarla gratinada al horno, acompañada de salsa bechamel.

ENSALADA SUAVE DE COLIFLOR, AGUACATE Y SOJA CON SALSA DE HIERBAS

Ingredientes
300 g de coliflor
200 g de brotes de soja
1 aguacate
Sal

Para el aderezo
1 yogur natural
1 cucharada de vinagre de sidra
1 diente de ajo machacado
Un manojito de menta
Un manojito de perejil
Un manojito de cebollino
Sal y pimienta

Preparación

- Hervir la coliflor en abundante agua salada durante 3-4 minutos. Escurrir, dejar enfriar, cortar a trozos pequeños y reservar.
- Pelar y deshuesar el aguacate y cortarlo a láminas.
- Colocar en una fuente una capa de aguacate y, por encima, la coliflor y la soja. Echar una pizca de sal. Aderezar con la salsa.
- Para el aderezo, poner todos los ingredientes en un bol y pasarlo todo por el minipimer.

Composición: 10 g (1 ración) de hidratos de carbono
96 kcal

Ejemplo de menú
(5 raciones de hidratos de carbono)

- Ensalada de coliflor
- Conejo guisado
- Una pieza de fruta
- 50 g de pan

MIXTA DE COLIFLOR Y CEBOLLINO

Ingredientes
400 g de coliflor
1 pimiento rojo
1 cebolla
4 huevos duros
40 g de pan tostado
Un manojo de cebollino
6 cucharadas de aceite
  de oliva

Para el aderezo
6 cucharadas de aceite de oliva
2 cucharadas de vinagre
1 cucharadita de mostaza
Una pizca de comino en polvo
Sal y pimienta

Preparación

- Hervir la coliflor en abundante agua salada durante unos 3-4 minutos. Cuando esté tierna, escurrir y cortar a trozos pequeños. Reservar.
- En una sartén con el aceite de oliva muy caliente freír el pan tostado cortado en cuadraditos. Retirar de la sartén cuando estén dorados. Reservar.
- Lavar y cortar los pimientos en juliana.
- En una fuente de servir colocar la base con la coliflor cortada a trozos, mezclada con la cebolla cortada a rodajas finas. Repartir por encima los pimientos rojos mezclar y los cuatro huevos duros cortados por la mitad. Verter por encima los trozos de pan tostado.
- Agregar el aderezo y, antes de servir, espolvorear con el cebollino picado.

Composición: 15 g (1,5 raciones) de hidratos de carbono
285 kcal

Ejemplo de menú
(5 raciones de hidratos de carbono)

- Ensalada de coliflor
- Merluza hervida, 100 g de patata
- 1 yogur
- 20 g de pan

ALMENDRADA DE COLIFLOR Y CHAMPIÑONES

Ingredientes	Para el aderezo
300 g de coliflor	1 yogur
150 g de champiñones	3 cucharadas de mahonesa
1 aguacate	1 diente de ajo
50 g de almendras tostadas	1 cucharadita de zumo de limón
1 cucharada de cebollino picado	Una pizca de pimentón

Preparación

- Hervir la coliflor en abundante agua salada durante unos 3 o 4 minutos. Escurrir y cortar la coliflor en trozos pequeños. Reservar.
- Lavar y cortar los champiñones a láminas.
- Pelar y deshuesar los aguacates y cortarlos a trozos pequeños.
- En una ensaladera, mezclar la coliflor, los champiñones, el aguacate y las almendras tostadas.
- Picar el diente de ajo con un mortero, agregar el pimentón, la mahonesa, el limón y el yogur. Remover bien hasta que se forme una masa espesa.
- Agregar el aderezo y espolvorear con el cebollino picado.

Composición: 10 g (1 ración) de hidratos de carbono
120 kcal

Ejemplo de menú
(5 raciones de hidratos de carbono)

- Ensalada de coliflor
- Pollo a la plancha
- Una pieza de fruta
- 50 g de pan

ENSALADA AMERICANA DE COLIFLOR

Ingredientes
½ kg de coliflor
1 zanahoria
1 calabacín
4 cebollas tiernas
¼ kg de escarola
75 g de nueces

75 g de cacahuetes
1 cucharada de perejil picado

Para el aderezo
1 yogur natural
3 cucharadas de mahonesa
Pimienta

Preparación

- Hervir la coliflor en abundante agua salada durante unos 3 minutos. Escurrir, cortar fina y reservar.
- Lavar, pelar y cortar la zanahoria y el calabacín en juliana (muy finos). Reservar. Aparte, lavar y cortar la escarola a trozos pequeños.
- En una ensaladera mezclar la coliflor, la zanahoria, el calabacín, la escarola, las cebollas cortadas en aros y los frutos secos.

- Agregar el aderezo y remover bien.
- Antes de servir espolvorear por encima el perejil picado.

Composición: 15 g (1,5 raciones) de hidratos de carbono
355 kcal

Ejemplo de menú
(5 raciones de hidratos de carbono)

- Ensalada de coliflor
- Rape a la plancha
- Una pieza de fruta
- 40 g de pan

ENDIBIA

Vegetal emparentado con la escarola es de sabor algo amargo pero muy apreciado gastronómicamente. Combina bien con los quesos.

La proporción de hidratos de carbono es prácticamente idéntica a la de la escarola (4 %).

Contiene diversos minerales tales como calcio, fósforo, magnesio, hierro y vitaminas: A, B1, B2, B3, B6 y C.

ENDIBIAS A LA VERSALLESCA

Ingredientes	Para el aderezo
4 endibias	6 cucharadas de aceite de oliva
2 peras grandes	2 cucharadas de zumo de limón
80 g de queso azul	1 cucharada de zumo
12 nueces	de manzana
	50 g de nueces
	Sal y pimienta

Preparación

- Separar las hojas de las endibias y ponerlas en una ensaladera.
- Pelar las peras y cortarlas a trocitos pequeños. Desmenuzar el queso azul y mezclarlo con las peras y las hojas de endibia.
- En un mortero picar las nueces hasta que queden muy bien trituradas. Mezclar con el aceite de oliva, el zumo de limón y el zumo de manzana. Salpimentar ligeramente y remover hasta formar una salsa compacta.
- Aliñar con el aderezo, remover bien y, antes de servir, agregar las nueces enteras.

Composición: 10 g (1 ración) de hidratos de carbono
370 kcal

Ejemplo de menú
(5 raciones de hidratos de carbono)

- Endibias a la versallesca
- Pechuga de pollo a la plancha con berenjenas rebozadas
- Una pieza de fruta
- 20 g de pan

ALMENDRADA DE ENDIBIAS Y NARANJA

Ingredientes
4 endibias
4 naranjas
1 cucharada de perejil picado
80 g de almendras tostadas

Para el aderezo
5 cucharadas de aceite de oliva
2 cucharadas de zumo de limón
1 cucharadita de miel
Sal y pimienta

Preparación

- Pelar las naranjas y separar los gajos. Reservar.
- Cortar las endibias diagonalmente en lonchas de 1 cm.
- En una ensaladera mezclar las naranjas con las endibias. Aliñar, remover bien y añadir las almendras tostadas.
- Antes de servir espolvorear con el perejil picado.

Composición: 30 g (3 raciones) de hidratos de carbono
332 kcal

Ejemplo de menú
(5 raciones de hidratos de carbono)

- Almendrada de endibias y naranja
- Bistec de ternera a la plancha
- Una pieza de fruta
- 1 biscote

ENDIBIAS CARNAVAL

Ingredientes
4 endibias
2 manzanas
½ kg de pechuga
  de pavo cocida
100 g de nueces
1 limón

Para el aderezo
6 cucharadas de aceite de oliva
2 cucharadas de vinagre
2 cucharadas de puré de tomate
1 yogur natural
1 cucharadita de perejil
1 cucharadita de cebollino
Sal y pimienta

Preparación

- Cortar las endibias en tiras de 1 cm. Pelar y cortar las manzanas a dados y rociarlas con un poco de limón.
- Cortar la pechuga de pavo en lonchas finas y rociarlas con unas gotas de limón.
- En un bol mezclar el yogur y el aceite de oliva con el perejil y el cebollino picados. Salpimentar ligeramente y agregar el vinagre y el puré de tomate hasta formar una salsa compacta.
- En una ensaladera mezclar las endibias, las lonchas de pavo y las nueces. Aliñar con el aderezo.

Composición: 20 g (2 raciones) de hidratos de carbono
520 kcal

Ejemplo de menú
(5 raciones de hidratos de carbono)

- Ensalada carnaval
- Queso blanco fresco
- Una pieza de fruta
- 30 g de pan

ENSALADA SIMPLE DE ENDIBIAS

Ingredientes
4 endibias
Un manojo de berros
4 huevos duros

Para el aderezo
9 cucharadas de aceite de oliva
1 cucharadita de mostaza
2 cucharadas de vinagre
1 diente de ajo
Sal y pimienta

Preparación

- Cortar las endibias en varios trozos, en sentido longitudinal, separando la parte amarga de la base.
- En un mortero picar el ajo y mezclar con el aceite de oliva, la mostaza y el vinagre. Salpimentar ligeramente y remover hasta lograr una salsa compacta.
- Mezclar las endibias, los berros y los huevos cortados a dados en una ensaladera. Aliñar con el aderezo.

Composición: 5 g (¹/₂ ración) de hidratos de carbono
265 kcal

Ejemplo de menú
(5 raciones de hidratos de carbono)

- Ensalada simple de endibias
- Merluza al horno con 100 g de patata y 2 tomates
- Una pieza de fruta
- 20 g de pan

ENDIBIAS DE ROSBIF A LA INGLESA

Ingredientes
4 endibias
1 manzana ácida
100 g de champiñones
1 limón
200 g de rosbif
1 cucharada de perejil picado

Para el aderezo
1 yogur natural
3 cucharadas de aceite de oliva
1 cucharada de vinagre
1 cucharadita de mostaza
Sal

Preparación

- Cortar las hojas de las endibias a tiras muy finas.
- Lavar los champiñones y cortarlos a láminas finas. Rociarlos con el zumo de limón.
- Lavar y pelar la manzana y cortarla a rodajas finas, rociándolas con un poco de zumo de limón para que no ennegrezcan.
- Cortar el rosbif a trozos muy finos.
- Mezclar todos los ingredientes en una ensaladera y espolvorear por encima el perejil picado.
- En un bol mezclar bien el yogur, el aceite de oliva, el vinagre y la mostaza. Sazonar ligeramente y remover hasta formar una salsa compacta.
- Servir a la mesa con el aliño en una salsera.

Composición: 10 g (una ración) de hidratos de carbono
194 kcal

Ejemplo de menú
(5 raciones de hidratos de carbono)

- Ensalada de rosbif a la inglesa
- Tortilla rellena con ajos tiernos (una ración)
- Una pieza de fruta
- 50 g de pan

CANGREJADA DE ENDIBIAS

Ingredientes
4 endibias
200 g de cangrejo en conserva
Un puñado de canónigo
1 tomate
1 cebolla
2 cucharadas de perejil picado

Para el aderezo
8 cucharadas de aceite de oliva
2 cucharadas de zumo de limón
4 filetes de anchoa
Una pizca de pimienta

Preparación

- Separar las hojas de las endibias y cortarlas en tiras de 1 cm. Colocar las hojas en un bol de cocina reservando algunas enteras para decorar el plato.
- Agregar el cangrejo desmenuzado, la cebolla y el perejil picados al bol. Remover bien.
- Servir colocando en cada plato individual algunas hojas enteras de endibia junto a las hojas de canónigo y un cuarto de tomate sin semillas. Repartir por encima de la mezcla preparada anteriormente.
- Pasar todos los ingredientes del aderezo por la batidora hasta lograr una salsa compacta, y aliñar.

Composición: 5 g (¹/₂ ración) de hidratos de carbono
255 kcal

Ejemplo de menú

- Cangrejada de endibias
- Conejo a la plancha
- Una pieza de fruta
- 50 g de pan

ESCAROLA

Uno de los vegetales más utilizados en la preparación de ensaladas. Su gusto ligeramente amargo le da muchas posibilidades gastronómicas, combinando muy bien con diversos alimentos como los quesos o contrastando con otros sabores, como los de ciertas frutas.

Su baja concentración en hidratos de carbono (4 %) lo hace idóneo para ser empleado en la dieta del diabético.

Su concentración en vitamina A es alta; también contiene vitaminas B1, B2, niacina, junto a calcio, fósforo y hierro.

Además de la clásica escarola verde, existen otras variedades tanto de color como de sabor. Las más características son el *radicchio* (escarola italiana) y el *lollo* de color verde con tonos violáceos y negros. Con similares características, las hojas de roble.

ENSALADA DE ESCAROLA A LA ITALIANA

Ingredientes
1 *radicchio* (escarola roja
   italiana)
2 tallos de apio
12 nueces
200 g de queso de cabra
   tierno

Para el aderezo
8 cucharadas de aceite de oliva
2 cucharadas de vinagre
1 diente de ajo
Sal y pimienta

Preparación

- Lavar las hojas de *radicchio* y cortarlas muy menuditas. Aliñar y mezclar bien. Reservar.
- Tostar ligeramente las rebanadas de pan. Una vez tostadas dividirlas en cuatro trozos. Cortar el queso en cuadraditos del mismo tamaño que los del pan y meter en el horno a 120 °C durante 3 minutos sobre el pan. Retirar cuando el queso se haya gratinado.
- Servir con las hojas de *radicchio* en el fondo del plato con las tostadas de queso por encima, decorado con los tallos de apio cortados en pequeñas rodajas y mezclado con las nueces partidas en cuatro trozos.
- Para aderezo, picar en un mortero el ajo y mezclar con el aceite de oliva y el vinagre. Salpimentar y remover hasta que todo cuaje bien.

Composición: 5 g (1 ración) de hidratos de carbono
380 kcal

Ejemplo de menú

- Ensalada de escarola a la italiana
- Calamarcitos fritos

- Manzana al horno
- 40 g de pan

VARIADO DE ESCAROLAS *À LA ROCHEFORT*

Ingredientes
1 escarola
1 *lollo*
400 g de setas diversas
12 nueces
80 g de queso Roquefort
   (optativo queso azul)
4 cucharadas de aceite de oliva

Para el aderezo
8 cucharadas de aceite de oliva
2 cucharadas de vinagre
1 cucharadita de mostaza
Sal y pimienta

Preparación
- Lavar y cortar la escarola y el *lollo* a trozos pequeños.
- Lavar y cortar las setas. En una sartén a fuego lento freírlas durante 3 o 4 minutos. Reservar.
- En un bol mezclar salpimentado el aceite, la mostaza y el vinagre hasta formar una salsa compacta.
- Distribuir las escarolas en cada uno de los platos, colocando encima las setas, el queso Roquefort desmenuzado y las nueces cortadas en cuatro trozos. Ligar con el aliño.

Composición: 5 g (¹/₂ ración) de hidratos de carbono
325 kcal

Ejemplo de menú
(5 raciones de hidratos de carbono)

- Variado de escarolas *à la Rochefort*
- Rape a la plancha con 100 g de patata hervida
- Una pieza de fruta
- 20 g de pan

RADICCHIO A LA HORTELANA

Ingredientes

2 *radicchios*
2 zanahorias de tamaño
  mediano
2 puerros
½ calabacín
1 pimiento rojo
1 cebolla roja
12 tomates enanos (cherry)

Para el aderezo

5 cucharadas de aceite de oliva
1 cucharada de vinagre
  balsámico
1 cucharada de chalote
2 dientes de ajo
4 tomates maduros (sin piel
  ni semillas, mejor tomates
  secados al sol)
Sal y pimienta

Preparación

- Lavar los *radicchios* y hervirlos en abundante agua salada durante 15 segundos. Escurrir y cortar en dos o tres trozos.
- Lavar las zanahorias y los puerros y cortarlos por la mitad en sentido longitudinal.
- Lavar el calabacín y cortarlo a láminas finas.
- Lavar el pimiento, quitarle las semillas y cortarlo en tiras largas y anchas.

- Pelar la cebolla y los tomates y cortarlos por la mitad.
- En una plancha cocer todas las verduras en un poco de aceite, dándoles la vuelta. Retirar en cuanto estén asados.
- En un mortero picar los ajos. Pelar los tomates y quitarles las semillas. Mezclar el ajo y los tomates con el aceite de oliva, el vinagre y el chalote picado finamente. Salpimentar y pasar todo por el minipimer.
- Servir aliñados con el aderezo.

Composición: 10 g (1 ración) de hidratos de carbono
590 kcal

Ejemplo de menú
(5 raciones de hidratos de carbono)

- *Radicchio* a la hortelana
- Pollo al horno
- Una pieza de fruta
- 50 g de pan

MIXTO DE ESCAROLAS CON BOTÓN DE FRAMBUESAS

Ingredientes	**Por el aderezo**
½ escarola	8 cucharadas de aceite de oliva
½ *lollo* (o bien hojas de roble)	2 cucharadas de vinagre de
½ *radicchio*	frambuesa
½ kg de hígados de pollo	1 chalote picado muy fino
1 caja pequeña de frambuesas	Sal y pimienta
1 cucharada de cebollino picado	

Preparación

- En una sartén con poco aceite freír los hígados de pollo a fuego lento durante unos 3 o 4 minutos. Reservar.
- Lavar y trocear las escarolas muy menuditas repartiéndolas en la base de cada plato. Esparcir por encima las frambuesas y los hígados de pollo.
- En un mortero picar el chalote, salpimentar ligeramente y mezclar con el aceite de oliva y el vinagre de frambuesa hasta formar una salsa compacta.
- Antes de servir, aliñar y espolvorear el cebollino picado.

Composición: 10 g (1 ración) de hidratos de carbono
360 kcal

Ejemplo de menú
(5 raciones de hidratos de carbono)

- Mixto de escarolas con botón de frambuesas
- Gambas a la plancha
- Una pieza de fruta
- 50 g de pan

TIMBAL DE ESCAROLAS VARIADAS A LA ITALIANA

Ingredientes
1 mezcla de diferentes escarolas
(escarola, *radicchio*, *lollo*,
hojas de roble)
1/2 pimiento rojo
1 calabacín
2 cucharadas de alcaparras
300 g de queso mozarella

Para el aderezo
7 cucharadas de aceite de oliva
2 cucharadas de vinagre
2 tomates maduros
1 cucharada de orégano picado
Sal y pimienta

Preparación

- Lavar y cortar el pimiento a tiras muy finas quitándole todas las pepitas.
- Lavar y cortar el calabacín a bastoncillos. En un cazo con agua salada hervirlos unos 3 minutos.
- Lavar las diferentes escarolas y cortarlas muy menuditas.
- En una ensaladera poner las escarolas, el calabacín y el pimiento junto a la mozzarela cortada a dados pequeños y las alcaparras. Mezclarlo todo bien y aliñar con el aderezo.
- Para el aderezo, pelar los tomates, retirar las semillas y salpimentar. Poner en el minipimer junto con el aceite de oliva, el vinagre, el orégano y pasarlo todo hasta formar una salsa compacta.

Composición: 5 g (½ ración) de hidratos de carbono
388 kcal

Ejemplo de menú
(5 raciones de hidratos de carbono)

- Timbal de escarolas mixtas a la italiana
- Merluza a la plancha con 100 g de patata hervida
- Una pieza de fruta
- 20 g de pan

ESPÁRRAGOS VERDES

Vegetal habitual en la antigua Grecia y en los tiempos del Imperio Romano. Su consumo era recomendado por los médicos de esa época, al atribuirles propiedades laxantes, diuréticas y hepatoprotectoras.

Su contenido en hidratos de carbono es bajo (4%) y, por tanto, es un excelente alimento para las personas diabéticas.

Contienen calcio, fósforo, magnesio, hierro, flúor y vitaminas A, E, B1, B2, niacina, B6 y C.

Normalmente se comen hervidos, acompañados de una salsa vinagreta o mahonesa. Preparados así, cuando son naturales, constituyen un excelente primer plato de notable valor gastronómico en los menús de la diabetes tipo 2.

Cuando se utilizan los espárragos en conserva, aunque su exquisitez no sea la misma, los valores nutricionales cambian poco.

ENSALADA VERDE DE ESPÁRRAGOS

Ingredientes
20 espárragos verdes
1 cajita de berros
1 escarola
1 docena de gambas

Para el aderezo
8 cucharadas de aceite de oliva
2 cucharadas de vinagre
 de estragón
1 diente de ajo
2 cucharadas de estragón
 fresco picado
Sal y pimienta

Preparación

- Hervir las gambas, dejarlas enfriar y pelarlas. Reservar.
- Hervir los espárragos en abundante agua salada. Retirarlos cuando estén cocidos (unos 6-8 minutos). Remojarlos ligeramente con agua fría y escurrir.
- Lavar los berros y la escarola, trocearlos a pedazos pequeños y decorar con ellos los platos.
- Colocar por encima los espárragos y las gambas. Aderezar.
- Para el aderezo, picar el diente de ajo en un mortero, agregar estragón, el aceite y el vinagre y salpimentar. Mezclar bien.

Composición: 5 g (¹/2 ración) de hidratos de carbono
300 kcal

Ejemplo de menú
(5 raciones de hidratos de carbono)

- Ensalada de espárragos
- Pechuga de pollo a la plancha
- Una pieza de fruta
- 50 g de pan

ESPINACAS

Su contenido en hidratos de carbono es muy bajo (3 %) lo que permite su incorporación en la dieta del diabético sin necesidad de limitar su cantidad. Tienen en su composición una riqueza particular en hierro y en vitamina A. También es interesante su aportación de calcio y fósforo y de otras vitaminas (B1, B2, niacina y C).

Como aspectos negativos hay que citar su alto contenido en purinas, que las contraindica a las personas que padecen gota, y en oxalatos, por lo que no las deben tomar las personas que tienen tendencia a eliminar cálculos renales de oxalatos.

MIXTO DE ESPINACAS

Ingredientes

25-30 hojas de espinacas tiernas

2 tomates maduros

120 g de champiñones

1 cebolla

Un puñado de berros

50 g de granos de maíz

1 cucharada de perejil picado

Para el aderezo

8 cucharadas de aceite de oliva

2 cucharadas de zumo de lima

Sal y pimienta

Preparación

- Limpiar y cortar las espinacas, lavar varias veces con agua limpia y dejar escurrir.
- Limpiar los berros y cortarlos a trozos pequeños.
- Lavar y cortar los champiñones en láminas.
- Lavar y cortar los tomates maduros en rodajas.
- En una ensaladera poner las hojas de espinacas, los berros, los tomates, la cebolla cortada en aros, los champiñones y los granos de maíz.
- Picar el ajo, añadir la lima y mezclar todo con el aceite de oliva. Salpimentar.
- Aderezar con la salsa y remover bien.
- Antes de servir espolvorear con las hojas de perejil picado.

Composición: 10 g (1 ración) de hidratos de carbono

213 kcal

Ejemplo de menú
(5 raciones de hidratos de carbono)

- Ensalada de espinacas
- Pescado al horno, 100 g de patata, 1 tomate
- Una pieza de fruta
- 1 biscote

HIGADILLOS DE POLLO CON ESPINACAS A LA PROVENZAL

Ingredientes

300 g de espinacas
5 hígados de pollo
3 cucharadas de aceite
  de oliva

Para el aderezo

8 cucharadas de aceite de oliva
2 cucharadas de vinagre
  de vino blanco
1 cucharadita de mostaza
1 diente de ajo
Sal y pimienta

Preparación

- Limpiar y cortar las espinacas, lavar varias veces con agua limpia y dejar escurrir. Poner en una cacerola con agua y sal al fuego, cuando hierva cocer las espinacas hasta que estén tiernas. Escurrir y prensar para que suelten toda el agua. Reservar.
- En una sartén con poco aceite freír los hígados de pollo, cortados por la mitad, hasta que se doren.
- En una fuente colocar en la base las espinacas y por encima los hígados de pollo.

- Picar el ajo en un mortero y mezclar con la mostaza. Cuando la mezcla esté compacta agregar el vinagre y el aceite. Salpimentar ligeramente y remover. Aderezar.

Composición: 5 g (¹/₂ ración) de hidratos de carbono
372 kcal

Ejemplo de menú
(5 raciones de hidratos de carbono)

- Ensalada de espinacas
- Calamares a la plancha
- Una pieza de fruta
- 1 yogur
- 40 g de pan

ESPINACAS CON HUEVOS POCHÉ

Ingredientes
¹/₄ kg de hojas de espinacas
8 huevos
4 tomates maduros
1 cucharada de albahaca picada

Aderezo
8 cucharadas de aceite
2 cucharadas de vinagre
1 diente de ajo machacado
1 cucharadita de mostaza
Sal y pimienta

Preparación

- Preparar los huevos *poché* llenando la mitad de una cacerola con agua y con un chorro de vinagre (sin sal). Cuando hierva el agua, cascar los huevos introduciendo su contenido directamente dentro del agua hirviendo, dejándolos cocer unos 4 minutos.

- Limpiar y cortar las espinacas, lavar varias veces con agua limpia y dejar escurrir. Escurrir y prensar para que suelten toda el agua y distribuir las hojas de espinacas en platos, rociándolas con el aderezo.
- Con una espumadera colocar por encima de las hojas de cada plato 2 huevos poché.
- Decorar con una corona de tomate cortado a trocitos y espolvorear con un poco de albahaca.

Importante: Este plato se puede preparar también caliente, sustituyendo las hojas crudas de espinacas por espinacas hervidas. En este caso se suprime la corona de tomate.

Composición: 5 g (½ ración) de hidratos de carbono
330 kcal

Ejemplo de menú
(5 raciones de hidratos de carbono)

- Sopa de pasta (25 g de pasta)
- Espinacas con huevos *poché*
- Una pieza de fruta
- 20 g de pan

ENSALADA DE ESPINACAS PESCADOR

Ingredientes
¼ kg de hojas de espinacas
½ kg de filetes de rape
2 tomates maduros
1 cucharada de perejil picado
2 cucharadas de Jerez

Aderezo (En caso de que se deseen tomar crudas)
9 cucharadas del zumo de unos trozos de zanahoria, un tomate (sin piel ni semillas) y unas láminas de pepino (sin piel ni semillas)
2 cucharadas de vinagre de frambuesa
8 cucharadas de aceite de oliva
Sal y pimienta

Preparación

- Limpiar y cortar las espinacas, lavar varias veces con agua limpia y dejar escurrir. Poner en una cacerola con agua y sal al fuego y cuando hierva cocemos las espinacas hasta que estén tiernas. Escurrir y prensar para que suelten toda el agua. Reservar.
- En caso de tomar crudas distribuir las hojas de espinacas en los platos y rociarlas con el aderezo.
- En una sartén con poco aceite freír los filetes de rape hasta que estén ligeramente dorados. Cortar muy menuditos y colocar encima de las hojas de espinaca. Reservar todo.
- Agregar a la sartén que hemos utilizado para freír el rape 2 cucharadas de Jerez, mezclar con el aceite y, a fuego muy lento, remover hasta que hierva. Retirar y rociar sobre las espinacas y el rape.

- Espolvorear por encima los tomates picados sin piel ni semillas y el perejil.

Composición: 10 g (1 ración) de hidratos de carbono
335 kcal

Ejemplo de menú
(5 raciones de hidratos de carbono)

- Ensalada de espinacas
- Tortilla de patatas con 150 g de patata hervida
- 1 yogur
- 1 biscote

ESPINACAS À LA MAISON

Ingredientes
20 hojas de espinacas
2 aguacates
100 g de nueces picadas

Para el aderezo
8 cucharadas de aceite de oliva
2 cucharadas de vinagre
1 cucharadita de mostaza
1 diente de ajo
Sal y pimienta

Preparación

- Limpiar y cortar las espinacas, lavar varias veces y dejar escurrir. Repartir las hojas de espinacas crudas sobre los platos.
- Pelar y deshuesar los aguacates y cortarlos a láminas finas. Colocar encima de las hojas de espinaca.

- Picar las nueces y espolvorear por encima de los platos.
- Picar el ajo en un mortero y mezclar con la mostaza. Cuando la mezcla esté compacta agregar el vinagre y el aceite. Salpimentar ligeramente y remover.
- Aderezar con la salsa.

Composición: 10 g (1 ración) de hidratos de carbono
454 kcal

Ejemplo de menú
(5 raciones de hidratos de carbono)

- Ensalada de espinacas
- Merluza hervida, 100 g de patata hervida
- Una pieza de fruta
- 1 biscote

Importante: La coincidencia en la misma receta de aguacates y frutos secos hace que sea un plato un poco hipercalórico, poco indicado para quienes pretendan adelgazar.

FRUTAS

La fruta es un alimento que debería estar siempre presente en la dieta del diabético. Aporta fundamentalmente sus azúcares a la nutrición. Se trata de los hidratos de carbono **contenidos en el alimento en una proporción bastante modesta**: habitualmente entre un 7 y un 14%. Esta proporción es muy baja si la comparamos con el 80% que contiene el arroz. Este hecho convierte a las frutas, en cuanto a la alimentación del diabético, en nutrientes muy destacados.

Otro factor importante a tener en cuenta es que **su índice glucémico es relativamente bajo**: la mayoría de las veces alcanza una cifra del 40%, bastante mejor al del pan o al de la pasta. Esto se explica por su elevada proporción de fructosa, que eleva muy poco los índices de la glucemia postprandial.

Es necesario exceptuar una serie de frutas, como las uvas y el plátano, dado que su índice glucémico es mayor, como lo es también su proporción de azúcar; por tanto son las frutas menos adecuadas en la dieta del diabético.

Otra consideración importante son las virtudes nutricionales que aportan las frutas; un alto contenido en vitaminas, minerales y, generalmente, también en fibra. Las frutas tienen notables propiedades antioxidantes y son elementos básicos en la dieta mediterránea, tantas veces exaltada.

Desde el punto de vista gastronómico es un tipo de alimento atractivo que se come con placer, en especial en los calurosos días de verano. Y más aún si quien ingiere la fruta es una persona diabética acostumbrada a restringir alimentos con sabores dulces.

En general las frutas se comen de postre. No obstante, debido a que el diabético encuentra más dificultades para superar la monotonía de la dieta o para evitar las transgresiones, cabe introducir la fruta en los **primeros platos** de la comida y de la cena. La fruta, en este sentido, está con frecuencia desaprovechada puesto que podría intervenir en la composición de muchos primeros platos fríos, preferentemente ensaladas. En estos casos lo más adecuado es prescindir de la fruta del postre o utilizar de postre otra clase de alimentos, como por ejemplo los productos lácteos.

Hay frutas especialmente adecuadas para ser utilizadas como entrantes. Es el caso del pomelo, una fruta refrescante con baja proporción de hidratos de carbono y con un sabor que combina bien con otras frutas y vegetales.

En los platos que se presentan a continuación la fruta forma parte del primer plato de la comida, sustituyendo a los farináceos en el aporte de los hidratos de carbono.

ENSALADA DE MELÓN Y CANGREJO

Ingredientes

400 g de cangrejo (separando bien los cartílagos)

120 ml de salsa mahonesa light

3 cucharadas de yogur natural

2 cucharadas de aceite de oliva

2 cucharadas de zumo de limón

3 cebollas tiernas

2 cucharadas de coriandro picado

$1/4$ de cucharadita de pimienta de Cayena

1-2 melones *cantaloup*

3 endibias

Sal y pimienta

Preparación

- En una pequeña ensaladera mezclar el cangrejo desmenuzado, las cebollas cortadas a rodajas finas, el yogur, la salsa mahonesa, el aceite, el zumo de limón y la pimienta. Remover bien.
- Cortar el melón a rajas y separar las hojas de las endibias.
- Servir en platos individuales presentados con unos gajos de melón, unas hojas de endibia y la mezcla del cangrejo. Espolvorear por encima con el coriandro rallado.

Composición: 25 g (2,5 raciones) de hidratos de carbono
198 kcal

Ejemplo de menú
(5 raciones de hidratos de carbono)

- Ensalada de melón y cangrejo
- Bistec a la plancha con 100 g de patatas hervidas
- 1 yogur

Importante: El melón ha resultado una fruta pionera en cuanto ha sido utilizada no como postres sino como entrante. El **melón con jamón** es desde hace muchos años un clásico en las cartas de los restaurantes. Convenientemente espaciado puede incluirse perfectamente en la dieta de la persona con diabetes tipo 2. Aquí sugerimos una variante a este plato.

ENSALADA WALDORF

Ingredientes
3 manzanas
4 ramas de apio
30 trozos de nuez
1 cucharada de perejil picado

Para el aderezo
150 ml de mahonesa light
1 yogur natural desnatado

Preparación

- Pelar la manzana y cortar a trozos rociados con zumo de limón.
- Lavar y cortar las ramas de apio a rodajas finas.
- En una ensaladera mezclar la manzana, el apio y las nueces. Mezclar con el aliño.
- Espolvorear por encima con el perejil. Servir muy frío.

Composición: 25 g (2,5 raciones) de hidratos de carbono
201 kcal

Ejemplo de menú
(5 raciones de hidratos de carbono)

- Ensalada Waldorf
- Pollo al horno
- Una pieza de fruta
- 50 g de pan

Importante: Esta ensalada también se puede preparar utilizando en lugar de tallos de apio bulbo de apio rallado y rociado con un poco de zumo de limón. En este caso se añaden trozos de endibia.

QUESADA DE ESCAROLA, *LOLLO* Y MELOCOTÓN

Ingredientes
1 escarola
1 *lollo*
2 melocotones
160 g de queso blanco fresco
12 nueces
20 g de pasas sin semilla

Para el aderezo
8 cucharadas de aceite de oliva
2 cucharadas de vinagre
Sal y pimienta

Preparación
- Lavar y trocear la escarola y el *lollo* muy menuditos y poner en platos individuales.
- Pelar los melocotones y cortarlos a rodajas finas, y cortar el queso fresco a dados.

- Distribuir por encima de la escarola, las rodajas de melocotón, el queso fresco, las nueces y las pasas.
- Aliñar y mezclar bien el aderezo.

Composición: 20 g (2 raciones) de hidratos de carbono
351 kcal

Ejemplo de menú
(5 raciones de hidratos de carbono)

- Quesada de escarola, *lollo* y melocotón
- Pechuga de pollo a la plancha
- 1 yogur
- 50 g de pan

ENSALADA DE NARANJA Y ESPÁRRAGOS TRIGUEROS AL ESTRAGÓN

Ingredientes
16 espárragos trigueros
2 naranjas

Aderezo
6 cucharadas de aceite de oliva
1 ½ cucharada de vinagre
 al estragón

1 cucharadita de ralladura
 de naranja
1 cucharadita de mostaza
1 cucharada de estragón
Sal y pimienta

Preparación

- Hervir los espárragos en abundante agua salada hasta que estén tiernos, durante unos 10 minutos. Pasar por agua fría y escurrir.

- Pelar las naranjas y cortarlas a rodajas finas.
- Con un mortero picar el estragón y mezclar con la naranja rallada, la mostaza, el aceite de oliva y el estragón. Salpimentar y remover bien hasta lograr un aliño consistente.
- Distribuir los espárragos en platos individuales y agregar los gajos de naranja. Aliñar.

Composición: 15 g (1,5 raciones) de hidratos de carbono
145 kcal

Ejemplo de menú
(5 raciones de hidratos de carbono)
- Ensalada de naranja y espárragos trigueros al estragón
- Conejo a la plancha con 100 g de judías hervidas (peso cocidas)
- 1 yogur
- 20 g de pan

ENSALADA DE FRESAS, AGUACATE Y HOJAS DE MENTA A LA MIEL

Ingredientes
1 kg de fresas
4 aguacates
Hojas de menta

Para el aderezo
4 cucharadas de aceite de oliva
4 cucharadas de zumo de limón
2 cucharadas de miel
$\frac{1}{2}$ cucharadita de pimentón
Sal y pimienta

Preparación

- Pelar y deshuesar los aguacates y cortarlos a dados. Rociar con un poco de zumo de limón para que no ennegrezcan.
- Limpiar los fresones y cortarlos por la mitad.
- Para el aderezo, mezclar el pimentón, la miel, el limón y el aceite. Remover bien hasta lograr espesar el aliño.
- Poner todos los ingredientes en una ensaladera y rociar con el aderezo. Decorar con la menta.

Composición: 10 g (1 ración) de hidratos de carbono
374 kcal

Ejemplo de menú
(5 raciones de hidratos de carbono)

- Ensalada de fresas, aguacate y hojas de menta a la miel
- Bistec a la plancha con 100 g de patatas hervidas
- 1 yogur
- 40 g de pan

ENSALADA DE MELÓN Y TOMATE

Ingredientes
2 melones tipo *cantaloup*
800 g de tomates sin piel
  ni semillas
Hojas de menta

Para el aderezo
6 cucharadas de aceite de oliva
2 cucharadas de vinagre de jerez
2 cucharadas de hojas
  de menta picadas

Preparación

- Partir el melón por la mitad quitando las semillas. Con una cucharita cortar la pulpa en forma de bolas. Colocar en una ensaladera.

- Lavar los tomates y cortarlos a trocitos. Mezclar con el melón.
- Verter el aderezo y dejarlo enfriar en el frigorífico. Antes de servir añadir unas hojas de menta.

Composición: 10 g (1 ración) de hidratos de carbono
122 kcal

Ejemplo de menú
(5 raciones de hidratos de carbono)

- Ensalada de melón y tomate
- Tortilla de patatas elaborada con 100 g de patata
- 1 yogur
- 30 g de pan

ENSALADA DE SANDÍA Y CEBOLLA A LAS FINAS HIERBAS

Ingredientes
¹/₄ kg de sandía
2 cebollas rojas
2 cucharadas de menta
  picada

Para el aderezo
16 cucharadas de aceite de oliva
4 cucharadas de zumo de limón
2 cucharaditas de miel líquida
4 cucharadas de hierbas picadas
  (menta, perejil y cebollino)
Sal y pimienta

Preparación

- Cortar la sandía en trozos de forma cúbica y retirar las semillas. A continuación cortar los cubos en láminas. Poner en una ensaladera y mezclar con la menta picada. Meter en el frigorífico.

- Mezclar la menta, el perejil y el cebollino picados salpimentando con la miel, el zumo de limón y el aceite de oliva.
- Pelar y cortar la cebolla en juliana. Poner en un bol agregando 4 cucharadas del aderezo. Marinar durante 1 hora. Transcurrido este tiempo agregar a la ensaladera y mezclar con la sandía.

Composición: 10 g (1 ración) de hidratos de carbono
220 kcal

Ejemplo de menú
(5 raciones de hidratos de carbono)

- Ensalada de sandía y cebolla a las finas hierbas
- Pechuga de pollo a la plancha, 100 g de habichuelas hervidas
- 1 yogur
- 30 g de pan

Importante: Se trata de una receta original y poco conocida, muy agradable como primer plato en días calurosos. Que incluya un poco de miel no debe preocupar a las personas con diabetes, pues queda compensada por la baja proporción de azúcar de la sandía.

ENSALADA DE POMELO

Ingredientes
2 pomelos
2 bulbos de hinojo
100 g de piñones
1 cucharada de menta picada

Para el aderezo
½ yogur natural
3 cucharadas de zumo
 de manzana
Sal

Preparación

- Pelar los pomelos, separar sus membranas y liberar la pulpa de los gajos. Colocar en una ensaladera.
- Picar finamente los bulbos de hinojo.
- Agregar a la ensaladera los piñones y el hinojo. Aliñar y, antes de servir a la mesa, espolvorear con las hojas de menta picadas.

Composición: 15 g (1,5 raciones) de hidratos de carbono
215 kcal

Ejemplo de menú
(5 raciones de hidratos de carbono)

- Ensalada de pomelos
- Merluza al horno con 100 g de patata y 1 tomate maduro
- 30 g de queso de Burgos
- 30 g de pan

POMELO A LA TROPICANA

Ingredientes

3 pomelos

$^1/_2$ escarola

2 aguacates

Aderezo

3 cucharadas de aceite de oliva

2 cucharadas de zumo de lima

La ralladura de la piel
  de media lima

1 cucharada de menta picada

Sal y pimienta

Preparación

- Pelar los pomelos y separar los gajos quitándoles la membrana.
- Pelar los aguacates, deshuesar y cortarlos a lonchas. Rociarlos con zumo de limón.
- Cortar la escarola a trozos.
- Picar la menta en un mortero, rallar la lima y mezclar todo con el aceite, el zumo de lima, la sal y la pimienta.
- Poner los ingredientes en una ensaladera y bañarlos con el aderezo.

Composición: 15 g (1,5 raciones) de hidratos de carbono
215 kcal

Ejemplo de menú
(5 raciones de hidratos de carbono)

- Pomelo a la tropicana
- Rape a la plancha con 100 g de patatas hervidas
- 1 yogur
- 20 g de pan

PIÑATA DE POLLO Y ALMENDRAS

Ingredientes

¼ kg de piña en rodajas
1 pechuga de pollo cocida
1 lechuga
3 tallos de apio
80 g de almendras tostadas

Para el aderezo

6 cucharadas de salsa
   mahonesa
1 yogur natural
1 cucharada de ketchup
1 cucharadita de polvo de curry

Preparación

- En un cazo con agua salada hervir la pechuga de pollo hasta que esté tierna. Escurrir y cortar a trocitos pequeños.
- Mezclar bien en un bol la salsa mahonesa, el yogur, el ketchup y el polvo de curry.
- En una ensaladera mezclar el pollo con el apio cortado a rodajas, la piña a dados y las almendras tostadas. Agregar el aderezo y mezclar bien.
- Se colocan las hojas de lechuga en cada plato y encima se distribuye la ensalada.

Composición: 15 g (1,5 raciones) de hidratos de carbono
292 kcal

Ejemplo de menú
(5 raciones de hidratos de carbono)

- Piñata de pollo y almendras
- Calamares a la romana rebozados en 25 g de harina
- 30 g de queso de Burgos
- 30 g de pan

JUDÍAS VERDES

Es una de las verduras mejor aceptadas y, por lo tanto, también una de las más utilizadas. Suele cocinarse hervida acompañada de patatas.

Su contenido en hidratos de carbono es de un 6%. Contiene además diversos oligoelementos (potasio, calcio, fósforo, magnesio, hierro) y vitaminas (A, E, B1, B2, niacina y C).

ENSALADA *NIÇOISE*

Ingredientes

1/4 kg de judías verdes
4 tomates
3 huevos duros
1 lata de atún en aceite
1/2 pepino
1 docena de aceitunas negras
8 filetes de anchoa
1 cucharada de cebollino picado

Para el aderezo

8 cucharadas de aceite de oliva
2 cucharadas de vinagre
1 cucharadita de mostaza
1 diente de ajo
Sal y pimienta

Preparación

- En un cazo con abundante agua salada hervir las judías hasta que estén tiernas. Reservar.
- Lavar los tomates y el pepino y cortarlos a rodajas finas.
- Se distribuyen en los platos las judías, los tomates y el pepino, el atún desmenuzado y los huevos duros. Colocar por encima los filetes de anchoa en líneas paralelas o formando un enrejado.
- Machacar el ajo en un mortero y mezclarlo con el aceite de oliva, el vinagre y la mostaza. Salpimentar y remover bien. Aliñar.

Composición: 10 g de hidratos de carbono
190 kcal

Ejemplo de menú

- Ensalada *niçoise*
- Queso blanco fresco
- Una pieza de fruta
- 50 g de pan tostado untado con aceite y sal

ENSALADA DE JUDÍAS VERDES CON TABASCO

Ingredientes	Para el aderezo
200 g de judías verdes	2 cucharadas de aceite de oliva
1 zanahoria	2 cucharadas de salsa de soja
1 papaya	2 cucharadas de zumo de lima
2 cebollas tiernas	2 dientes de ajo
60 g de cacahuetes tostados	1 cucharada de tabasco
2 pechugas de pollo	1 cucharada de hojas
	de cilantro picadas

Preparación

- En un cazo con abundante agua salada hervir las judías verdes y las zanahorias hasta que estén tiernas. Reservar.
- En otro cazo con agua salada hervir el pollo. Cortar la pechuga a palitos y reservar.
- Pelar la papaya y separar su carne. Cortar la carne de la papaya y la zanahoria en palitos de tamaño parecido al de las judías verdes.
- En una ensaladera mezclar las judías verdes, la zanahoria, la papaya y el pollo. Agregar las cebollas tiernas picadas finamente y los cacahuetes.
- Picar los ajos en un mortero y mezclar con el zumo de lima, la salsa de soja, el tabasco y el aceite de oliva.
- Aliñar con el aderezo y espolvorear con el cilantro antes de servir.

Composición: 15 g (1,5 raciones) de hidratos de carbono
307 kcal

Ejemplo de menú
(5 raciones de hidratos de carbono)

- Ensalada de judías tiernas con tabasco
- 100 g de requesón
- Una pieza de fruta
- 30 g de pan

ENSALADA DE JUDÍAS TIERNAS CON ESCAROLA Y PATATAS

Ingredientes
200 g de judías verdes
1 escarola
300 g de patatas hervidas
½ apio nabo
2 cucharadas de mahonesa

Para el aderezo
8 cucharadas de aceite de oliva
2 cucharadas de vinagre
1 cucharadita de mostaza
1 diente de ajo
Sal y pimienta

Preparación

- En un cazo con abundante agua salada hervir las judías y las patatas cortadas a bastoncillos hasta que estén bien tiernas. Reservar.
- Lavar y rallar el apio nabo.
- En una ensaladera mezclar las judías tiernas, el apio nabo y las patatas. Añadir las dos cucharadas de mahonesa y remover.
- En un mortero picar el ajo, el aceite, el vinagre y la mostaza. Salpimentar y remover hasta lograr una salsa espesa.
- Disponer hojas de escarola en cada plato distribuyendo la ensalada por encima. Aliñar.

Composición: 20 g (2 raciones) de hidratos de carbono
274 kcal

Ejemplo de menú
(5 raciones de hidratos de carbono)

- Ensalada de judías tiernas, escarola y patatas
- Pechuga de pavo a la plancha
- Una pieza de fruta
- 30 g de pan

ENSALADA DE JUDÍAS VERDES

Ingredientes
200 g de judías verdes
1 berenjena
200 g de patatas
1 cebolla roja
1 pimiento rojo
1 docena de aceitunas
1 cucharada de perejil picado

Para el aderezo
9 cucharadas de aceite
2 cucharadas de vinagre
1 cucharadita de mostaza
1 diente de ajo
Sal y pimienta

Preparación
- En un cazo con abundante agua salada hervir las judías hasta que estén bien tiernas. Reservar. Mientras, lavar y cortar la berenjena a cubos de unos 2 centímetros de grosor. Reservar.
- En una cazuela de barro poner las patatas cortadas a cuartos, el pimiento sin fibras ni semillas a cuadrados de unos 3 cm y la cebolla cortada en juliana. Rociar con aceite, salpimentar, añadir las berenjenas y hornear hasta que se ablanden, aproximadamente durante 30 minutos.

- Mezclar el ajo exprimido, el vinagre, el aceite y la mostaza. Salpimentar y espesar.
- Poner en una ensaladera las judías tiernas y las verduras horneadas. Añadir las aceitunas. Rociar con el aderezo y espolvorear por encima el perejil picado.

Composición: 20 g (2 raciones) de hidratos de carbono
305 kcal

Ejemplo de menú
(5 raciones de hidratos de carbono)

- Ensalada de judías tiernas
- Bistec a la plancha
- Una pieza de fruta
- 30 g de pan

LECHUGA

Es el vegetal más típico y característico de las ensaladas. Su proporción en hidratos de carbono es sólo de un 2 % lo que permite que la persona diabética pueda consumirla con generosidad.

Contiene diversos minerales: calcio, fósforo, magnesio, hierro y una excelente proporción de vitaminas A,C, B1, B2, B3 y E.

Su uso está muy extendido como componente de infinidad de ensaladas o como acompañamiento en segundos platos.

ENSALADA CÉSAR

Ingredientes
1 lechuga
60 g de pan (3 lonchas)
50 g de queso parmesano
4 dientes de ajo
1 cucharada de alcaparras

Para el aderezo
4 cucharadas de aceite de oliva
  (mejor extravirgen)
1 cucharada de zumo de limón
2 huevos
1 cucharada de salsa
  Worcestershire
1 cucharada de mostaza
Sal y pimienta

Preparación

- Cortar las rebanadas de pan en forma de pequeños cubos.
- En una sartén con 3 cucharadas de aceite freír los dientes de ajo pelados y partidos en tres o cuatro trozos hasta que doren. Retirar y freír el pan, sin dejar de remover, hasta que esté tostado por ambos lados. Reservar sobre papel absorbente.
- Hervir los huevos durante 1 minuto. Cuando enfríen, separar las yemas y desechar las claras.
- Con un tenedor aplastar las yemas, salpimentar y mezclarlas con el aceite de oliva, el zumo de limón, la salsa Worcestershire y la cucharada de mostaza hasta formar una salsa compacta.
- Como opción se pueden agregar 3 filetes de anchoa, bien triturados con un tenedor.
- Lavar y cortar la lechuga a trozos. Poner en una ensaladera y mezclar bien con el pan tostado y las alcaparras.
- Agregar el aliño y remover. Antes de servir espolvorear por encima con el queso parmesano recién rallado.

Composición: 10 g (1 ración) de hidratos de carbono
223 kcal

Ejemplo de menú
(5 raciones de hidratos de carbono)

- Ensalada César
- Rape a la plancha con 100 g de patata hervida
- Una pieza de fruta
- 1 biscote

ROYAL DE LECHUGA

Ingredientes

6 cogollos de lechuga
1 kg de canónigos
100 g de brotes de soja
100 g de champiñones
150 g de granos de maíz
  en conserva
3 tallos de apio
2 cucharadas de perejil picado

Para el aderezo

8 cucharadas de aceite de oliva
2 cucharadas de salsa de soja
1 cucharada de zumo de lima
  (o de limón)
2 dientes de ajo
Sal y pimienta

Preparación

- Lavar y cortar los cogollos a rodajas finas y las hojas a trocitos muy menuditos.
- Lavar y cortar los troncos de apio a rodajas finas.
- Lavar y cortar los champiñones a láminas.
- Lavar y cortar los canónigos y los brotes de soja.
- En un mortero machacar los ajos y mezclar con el aceite, la salsa de soja y el zumo de lima. Salpimentar y remover hasta que se forme una salsa compacta.
- En una ensaladera mezclar bien todos los ingredientes y aliñarlos con el aderezo.

Composición: 15 g (1,5 raciones) de hidratos de carbono
220 kcal

Ejemplo de menú
(5 raciones de hidratos de carbono)

- *Royal* de lechuga
- Conejo a la plancha, 1 pimiento asado al rescoldo
- Una pieza de fruta
- 40 g de pan

LEGUMBRES

Las legumbres son alimentos cuyo componente nutritivo principal está formado por hidratos de carbono aunque contienen también una importante proporción de proteínas.

Lo interesante desde el punto de vista diabetológico es que aportan los hidratos de carbono de forma muy beneficiosa para la persona diabética debido a su **privilegiado índice glucémico**, bastante más bajo que el de otros alimentos utilizados habitualmente en la preparación de primeros platos, tales como el arroz y las patatas e, incluso, las pastas.

El valor promedio de dicho índice glucémico esta fijado en 36. Esta cifra significa que la ingesta de legumbres provoca una elevación de la glucemia que sólo es el 36 % de la que provocaría la misma cantidad de hidratos de carbono ingerida en forma de glucosa.

Su proporción de **proteínas** es importante, comparable a la de la carne y el pescado, con un precio notablemente menor de ahí que se denomine «la carne de los pobres».

Son alimentos con una alta proporción de **fibra** y ricos en otros elementos nutritivos como el calcio, el fósforo, el hierro y las vitaminas B1 y 2.

Su principal inconveniente es que provocan flatulencia en personas predispuestas, excepto cuando se ingieren cantidades moderadas, como corresponde hacer a las personas que sufren diabetes tipo 2.

Un error frecuente cuando las legumbres se incluyen en los menús es el de despreciar **su riqueza proteica**. Un menú compuesto por un primer plato de legumbres y un segundo plato de carne o pescado es defectuoso por exceso de proteínas.

La dieta será más correcta si se reduce la cantidad de carne o pescado a más o menos la mitad de la ración habitual. Una cantidad discreta de gambas, de calamares o de mejillones, un huevo o un trozo de queso fresco son ejemplos de complementos muy adecuados, además de unas porciones de ensalada o verdura y de alguna fruta.

Otro error frecuente es que las legumbres se preparan según las recetas de la cocina tradicional asociándolas de forma sistemática a los alimentos grasos, generalmente procedentes del cerdo –chorizo, tocino etc.– que les dan un exquisito sabor pero convierten el plato de legumbres en un manjar muy poco adecuado para la alimentación habitual de los diabéticos tipo 2. Estas recetas deben reservarse para los días extraordinarios y acostumbrarse a buscar recetas más sanas.

Una forma simple y dietéticamente muy sana es la de ingerirlas simplemente hervidas, solas o asociadas a la verdura. Pero en este caso conviene utilizar con frecuencia recursos para evitar que acaben resultando un plato monótono y poco atractivo.

Otra manera eficaz para romper la monotonía de las legumbres hervidas es la de prepararlas en forma de ensalada.

ENSALADA DE GARBANZOS CON JENGIBRE Y SALSA DE SOJA

Ingredientes
300 g de garbanzos cocidos
1 pimiento rojo
1 cebolla
1 cucharada de perejil picado

Para el aderezo
8 cucharadas de aceite de oliva
2 cucharadas de salsa de soja
1 cucharada de zumo de limón
1 diente de ajo triturado
Unos 2 cm de raíz de jengibre
Sal y pimienta

Preparación

- Cocer los garbanzos en un cazo con abundante agua salada. Cuando estén tiernos, retirar, escurrir y poner en la ensaladera.
- Lavar y cortar el pimiento rojo muy menudito.
- En un mortero picar el ajo y mezclar con la raíz de jengibre pelada muy fina, el aceite de oliva, la soja y el zumo de limón. Salpimentar ligeramente y remover hasta lograr una salsa compacta.
- Mezclar los garbanzos, el pimiento rojo, la cebolla picada y el perejil. Aliñar con 4 cucharadas de aderezo.

Composición: 15 g (1,5 raciones) de hidratos de carbono
302 kcal

Ejemplo de menú
(5 raciones de hidratos de carbono)

- Ensalada de garbanzos con jengibre y salsa de soja
- Sepia a la plancha
- Una pieza de fruta
- 40 g de pan

PINCANTILLO DE GARBANZOS

Ingredientes
300 g de garbanzos
2 cucharadas de perejil
   fresco picado

Para el aderezo
3 cucharadas de aceite de oliva
1 cebolla pequeña picada
1 diente de ajo machacado
1 cucharada de tabasco
2 cucharadas de yogur natural
Sal

Preparación

- En una sartén pequeña con 3 cucharadas de aceite de oliva freír a fuego lento el ajo y la cebolla durante 2 minutos. Transcurrido este tiempo dejar enfriar en un bote y mezclar con el tabasco y el yogur. Remover bien y sazonar.
- Mientras, cocer los garbanzos en abundante agua salada hasta que estén tiernos. Ponerlos en la ensaladera y aliñar.
- Poner en el frigorífico durante 2 horas espolvoreando por encima el perejil picado.

Composición: 15 g (1,5 raciones) de hidratos de carbono
172 kcal

Ejemplo de menú
(5 raciones de hidratos de carbono)

- Picantillo de garbanzos
- Merluza a la romana rebozada con 25 g de harina
- 1 yogur
- 20 g de pan

ENSALADA SENCILLA DE GARBANZOS

Ingredientes
800 g de garbanzos

Para el aderezo
12 cucharadas de aceite de oliva
4 dientes de ajo
El zumo de dos limones
2 cucharaditas de pimentón
Sal y pimienta

Preparación

- En un cazo con abundante agua salada hervir los garbanzos hasta que estén tiernos. Poner los garbanzos en una batidora y añadir 3 cucharadas de aceite, el ajo y el zumo de los limones.
- Batir bien hasta que quede una pasta uniforme. Poner en una fuente de servir, salpimentar y agregar las cucharadas de aceite restantes. Remover bien y echar por encima el pimentón.
- Presentar acompañado de *crudités*: zanahorias pequeñas, troncos de apio a trozos y rábanos.

Composición: 20 g (2 raciones) de hidratos de carbono
285 kcal

Ejemplo de menú
(5 raciones de hidratos de carbono)

- Ensalada simple de garbanzos
- Tortilla a la francesa con lechuga y tomate
- Una pieza de fruta
- 30 g de pan

ENSALADA DE LENTEJAS, APIO Y SOJA

Ingredientes

800 g de lentejas ya cocidas
  (o 280 g de lentejas crudas)
4 tomates
2 cebollas
300 g de brotes de soja
2 ramas de apio

Para el aderezo

16 cucharadas de aceite de oliva
4 cucharadas de salsa de soja
2 cucharadas de zumo de limón
2 dientes de ajo
Sal y pimienta

Preparación

- En un cazo con abundante agua salada hervir las lentejas hasta que estén tiernas (para las lentejas crudas).
- Lavar y trocear los tomates muy menuditos.
- Lavar y cortar las ramas de apio a rodajitas.
- Cortar los brotes de soja a trozos pequeños, y pelar y cortar la cebolla en juliana (muy fina).

- Machacar el ajo en un mortero. Mezclar con el aceite la salsa de soja y el zumo de limón. Salpimentar un poco y remover.
- Mezclar todos los ingredientes y aliñar.

Composición: 25 g (2,5 raciones) de hidratos de carbono
289 kcal

Ejemplo de menú
(5 raciones de hidratos de carbono)

- Ensalada de lentejas, apio y soja
- Pollo a la plancha
- Una pieza de fruta
- 20 g de pan

ENSALADA CAMPESINA DE LENTEJAS

Ingredientes
800 g de lentejas hervidas
  (pesadas ya cocidas)
600 g de tomates maduros
6 tallos de apio
300 g de champiñones

Para el aderezo
14 cucharadas de aceite de oliva
2 cucharadas de zumo de limón
2 dientes de ajo
2 cucharadas de perejil picado
Sal y pimienta

Preparación
- En un cazo con abundante agua salada hervir las lentejas hasta que estén tiernas.

- Lavar, pelar los tomates y quitar las semillas. Cortar a trozos muy pequeños.
- Lavar el apio y cortar a rodajas finas.
- Lavar los champiñones y cortar a láminas finas.
- Machacar el ajo en un mortero y mezclar con el aceite de oliva y el zumo de limón. Salpimentar ligeramente y agregar el perejil picado. Remover.
- Mezclar todos los ingredientes en una ensaladera y aliñar.

Composición: 25 g (2,5 raciones) de hidratos de carbono
292 kcal

Ejemplo de menú
(5 raciones de hidratos de carbono)
- Ensalada campesina de lentejas
- Atún a la plancha
- Una pieza de fruta
- 20 g de pan

ALUBIAS GRAN CORONA

Ingredientes
800 g de alubias
2 pimientos rojos
300 g de champiñones
4 cucharadas de perejil picado

Para el aderezo
16 cucharadas de aceite de oliva
4 cucharadas de vinagre
2 cucharaditas de mostaza
Sal y pimienta

Preparación

- En un cazo con abundante agua salada hervir las alubias hasta que estén tiernas.
- Lavar y cortar el pimiento a tiras finas. Cortar los champiñones lavados a láminas.
- Mezclar todos los ingredientes en una ensaladera y aliñar con el aderezo.

Composición: 25 g (2,5 raciones) de hidratos de carbono
295 kcal

Ejemplo de menú
(5 raciones de hidratos de carbono)

- Alubias gran corona
- Conejo a la plancha
- Una pieza de fruta
- 20 g de pan

ENSALADA DE ALUBIAS Y FRUTA

Ingredientes
400 g de alubias
400 g de judías verdes
1 escarola
1 lechuga
8 albaricoques
2 naranjas
30 trozos de nuez

Para el aderezo
10 cucharadas de aceite de oliva
4 cucharadas de vinagre
4 cucharadas de ralladura
 de naranja
Sal y pimienta

Preparación

- En dos cazos diferentes hervir los dos tipos de judías hasta que estén tiernas.
- Lavar la escarola y la lechuga y cortar a trozos pequeños. Lavar, pelar, deshuesar y cortar los albaricoques y las naranjas a trocitos.
- Mezclar la ralladura de cáscara de naranja con el aceite y el vinagre. Salpimentar.
- Poner todos los ingredientes en una ensaladera y aliñar.

Composición: 25 g (2,5 raciones) de hidratos de carbono
250 kcal

Ejemplo de menú
(5 raciones de hidratos de carbono)

- Ensalada de alubias y fruta
- Pescadilla frita
- 1 yogur
- 40 g de pan

ENSALADA MONDARIZ

Ingredientes
800 g de judías
400 g de brócoli
2 *radicchios*
1 escarola
1 cebolla roja
160 g de almendras tostadas

Para el aderezo
10 cucharadas de aceite de oliva
4 cucharadas de vinagre
   de frambuesas
4 cucharaditas de tabasco
Sal

Preparación

- En un cazo con abundante agua salada hervir las judías hasta que estén bien tiernas.
- En otro cazo hervir durante 3 minutos el bróculi. Escurrir y enjuagar con agua fría. Cortar a ramitos muy finos.
- Lavar el *radicchio* y la escarola y cortar a trozos pequeños.
- Pelar y cortar la cebolla roja a rodajas finas.
- Mezclar todos los elementos en una ensaladera y aliñar.

Composición: 25 g (2,5 raciones) de hidratos de carbono
322 kcal

Ejemplo de menú
(5 raciones de hidratos de carbono)

- Ensalada mondariz
- Rape a la plancha
- Una pieza de fruta
- 20 g de pan

ATUNADA DE ALUBIAS Y ACEITUNAS

Ingredientes
800 g de judías blancas
  (pesadas ya hervidas)
800 g de atún en aceite
2 cebollas rojas
4 cucharadas de perejil picado
150 g de aceitunas negras
  deshuesadas

Para el aderezo
12 cucharadas de aceite de oliva
2 cucharadas de vinagre
  de jerez
Sal y pimienta

Preparación

- En un cazo con abundante agua salada hervir las judías hasta que estén tiernas. Escurrir y reservar.
- Pelar la cebolla y cortar a rodajas finas.
- Escurrir el aceite del atún y desmenuzar.
- En una ensaladera mezclar todos los ingredientes y aliñar.
- Antes de servir espolvorear con el perejil picado.

Composición: 20 g (2 raciones) de hidratos de carbono
515 kcal

Ejemplo de menú
(5 raciones de hidratos de carbono)

- Atunada de alubias y aceitunas
- 2 huevos duros con escarola y tomate
- Una pieza de fruta
- 30 g de pan

ENSALADA DE ALUBIAS Y GAMBAS A LA PIMIENTA VERDE

Ingredientes
400 g de alubias
1 lechuga
1/2 cebolla
1 cucharada de perejil picado
1 docena de gambas

Para el aderezo
5 cucharadas de aceite de oliva
2 cucharadas de zumo de limón
Granos de pimienta verde
   triturados
Sal

Preparación

- En dos cazos diferentes con abundante agua salada hervir las alubias y las gambas hasta que estén bien tiernas.
- Repartir las hojas de lechuga en los platos distribuyendo por encima las alubias, la cebolla cortada en juliana (muy fina) y las gambas peladas. Aliñar con el aderezo y espolvorear por encima el perejil picado.

Composición: 20 g (2 raciones) de hidratos de carbono
345 kcal

Ejemplo de menú
(5 raciones de hidratos de carbono)

- Ensalada de alubias y gambas a la pimienta verde
- Salmonetes fritos
- Una pieza de fruta
- 50 g de pan

MIXTA DE ALUBIAS

Ingredientes
400 g de judías secas (cocidas)
300 g de judías tiernas
3 tomates maduros

Para el aderezo
9 cucharadas de aceite de oliva
2 cucharadas de vinagre
  de jerez
1 cucharada de zumo de
  limón
1 diente de ajo
Sal y pimienta

Preparación

- En dos cazos diferentes hervir las judías en abundante agua salada hasta que estén tiernas. Escurrir y poner en una ensaladera.
- Pelar los tomates, quitarles las semillas y cortar muy menuditos.
- Machacar el ajo en un mortero y mezclar con el aceite, el vinagre y el zumo de limón. Sazonar y remover bien hasta lograr una salsa compacta.
- Mezclar todos los ingredientes y aliñar.

Composición: 25 g (2,5 raciones) de hidratos de carbono
305 kcal

Ejemplo de menú
(5 raciones de hidratos de carbono)

- Ensalada mixta de alubias
- Gambas a la plancha
- Una pieza de fruta
- 20 g de pan

PASTA

Se trata de alimentos que contienen un 80% de hidratos de carbono en forma de almidón. Así, la ingestión de 100 g de pasta supone que, una vez realizada la digestión, se formará en el intestino 80 g de glucosa, que a continuación será absorbida y pasará a la sangre, con la consiguiente subida de la glucemia postprandial.

Esta subida sería aproximadamente un 50 % de la que originaría la ingesta de una cantidad equivalente de glucosa, lo que implica que su **índice glucémico** es de 50, mejor que el del arroz, del pan blanco o de las patatas. Por este motivo, al tener un moderado índice glucémico, su consumo es muy recomendable para quienes padecen diabetes.

El problema en la diabetes tipo 2 es que la cantidad tolerable es muy limitada, entre los 25 y 50 g según el nivel de tolerancia, suficiente para la preparación de ciertos platos –**sopa de pasta** o un par de **canalones**– pero un poco exigua para la confección del clásico plato de pasta –macarrones, espagueti, fideos, etc.– habitual como primer plato de muchos menús.

La cocina moderna ha introducido con mucho éxito las **ensa-**

ladas de pasta lo que permite variar la cocina del diabético. Las ensaladas de pasta son platos muy idóneos en la dieta de la diabetes tipo 2, y contribuyen con gran éxito a atenuar el problema de la monotonía de los menús.

MACARRONES A LA HORTELANA CON PIÑONES

Ingredientes
150 g de macarrones
125 g de judías tiernas finas
125 g de tomates enanos
(cherry)
60 g de champiñones
30 g de piñones tostados
50 g de aceitunas negras

Para el aderezo (salsa al pesto)
8 cucharadas de aceite de oliva
Un manojo de hojas de
albahaca (unos 30 g)
30 g de queso parmesano
rallado
2 cucharadas de vinagre de
vino blanco
1 diente de ajo
Pimienta

Preparación

- Poner una cacerola con agua y sal al fuego; cuando empiece a hervir echamos los macarrones y dejamos hervir hasta que estén al dente. Retirar del fuego, escurrir y pasarlos por agua fría. Reservar.
- Lavar las judías verdes, cortar los extremos y hervirlas en una olla en agua salada durante 2 minutos. Retirar del fuego, pasar por agua fría y escurrirlas.
- Entretanto, lavar los tomates y cortarlos por la mitad.
- Lavar los champiñones y cortarlos a láminas.

- En una fuente de servir mezclar la pasta, las judías, los tomates, los champiñones, los piñones y las aceitunas.
- Para la salsa, poner los ingredientes en una batidora y batirlos durante unos segundos hasta que todo quede bien licuado.
- Agregar el aderezo a la ensalada y remover.

Composición: 35 g (3,5 raciones) de hidratos de carbono
402 kcal

Ejemplo de menú
(5 raciones de hidratos de carbono)

- Macarrones a la hortelana con piñones
- Bistec a la plancha
- Una pieza de fruta

FUSILI CON JAMÓN DE YORK

Ingredientes
150 g de *fusili*
2 tomates maduros
200 g de jamón York (lonchas gruesas)
Un manojo de cebollas tiernas

Para el aliño
7 cucharadas de aceite de oliva
3 cucharadas de vinagre de vino tinto
1 diente de ajo
Una pizca de pimentón dulce
Sal y pimienta

Preparación

- Poner una cacerola con agua y sal al fuego; cuando empiece a hervir echamos los *fusili* y los dejamos hervir hasta que estén al dente. Retirar del fuego, escurrir y pasarlos por agua fría.

- Mezclar los *fusili* con el aceite y el vinagre en una ensaladera. Marinar durante 30 minutos.
- Lavar y cortar los tomates a tiras quitando la piel y las semillas.
- Pelar y cortar las cebollas a rodajas finas y el jamón de York a dados pequeños.
- Verter los tomates, las cebollas y el jamón de York en la ensaladera, aderezar con el ajo picado en mortero y el pimentón dulce. Salpimentar y mezclar bien.

Composición: 35 g (3,5 raciones) de hidratos de carbono
465 kcal

Ejemplo de menú
(5 raciones de hidratos de carbono)

- *Fusili* con jamón de York
- Merluza a la plancha
- Una pieza de fruta

FUSILI CON ALCAPARRAS Y ALBAHACA FRESCA

Ingredientes
150 g de *fusili*
100 g de queso mozzarella
3 tomates pelados y picados
   finamente
1 pimiento amarillo picado
   finamente
3 tallos de apio picados

10 hojas de albahaca fresca
   picadas
2 cucharadas de alcaparras

Para el aderezo
5 cucharadas de aceite de
   oliva virgen
1 cucharadita de zumo de limón
Sal

Preparación

- Poner una cacerola con agua y sal al fuego, cuando empiece a hervir echamos los *fusili* y los dejamos hervir hasta que estén al dente. Retirar del fuego, escurrir y pasarlos por agua fría.
- En una ensaladera mezclar la pasta con los tomates pelados y sin pepitas, el pimiento cortado a trozos pequeños, el apio picado, el queso mozzarella cortado a dados pequeños, la albahaca y las alcaparras.
- Aliñar, sazonar ligeramente y mezclar bien.

Composición: 35 g (3,5 raciones) de hidratos de carbono
247 kcal

Ejemplo de menú
(5 raciones de hidratos de carbono)

- *Fusili* con alcaparras y albahaca fresca
- Lenguado a la plancha
- Una pieza de fruta

PENNE AL ESTILO PASTOR

Ingredientes	Para el aderezo
150 g de *penne*	6 cucharadas de aceite de oliva virgen
4 tomates maduros	6 tomates en conserva
1/4 kg de ramitos de bróculi	3 guindillas picantes
1 cebolla	1 cucharada de orégano picado
15 aceitunas negras	Sal y pimienta
1/4 kg de requesón	

Preparación

- Poner una cacerola con agua y sal al fuego, cuando empiece a hervir echamos los *penne* y los dejamos hasta que estén al dente. Retirar del fuego, escurrir y pasarlos por agua fría.
- En un cazo aparte hervir los ramitos de bróculi durante 10 minutos.
- Lavar y cortar los tomates quitándoles la piel y las semillas. Sazonar ligeramente. Pelar y cortar la cebolla en juliana (muy fina).
- En una ensaladera mezclar la pasta, los tomates, el bróculi, el requesón desmenuzado y la cebolla. Aliñar y meter en el frigorífico por espacio de 1 hora.
- Para preparar el aderezo poner las guindillas en remojo durante 1 hora. Transcurrido este tiempo rascar con un cuchillo la parte interna de la piel. La sustancia que obtengamos es la que se añade al aderezo.
- Triturar los tomates en conserva y mezclarlos con el aceite, las guindillas y el orégano picado. Salpimentar y remover. Marinar durante ½ hora antes de incorporar a la ensalada.

Composición: 35 g (3,5 raciones) de hidratos de carbono
335 kcal

Ejemplo de menú
(5 raciones de hidratos de carbono)

- *Penne* al estilo pastor
- Pollo a la plancha
- Una pieza de fruta

ENSALADA DE PASTA A LA JARDINERA

Ingredientes
150 g de lazos
1 remolacha pequeña
1 zanahoria
1 calabacín
100 g de cebolletas
100 g de guisantes congelados
1 hinojo pequeño
200 g de ramitos de bróculi
2 tomates de ensalada

1 cebolla
1 cebollino

Para el aderezo
5 cucharadas de aceite de oliva
  virgen
1 cucharada de vinagre
1 cucharada de zumo de limón
Sal y pimienta

Preparación

- Poner una cacerola con agua y sal al fuego; cuando empiece a hervir echamos los lazos y los dejamos hasta que estén al dente. Retirar del fuego, escurrir y pasarlos por agua fría. Reservar.
- Lavar y cortar a rodajas finas la zanahoria, el calabacín y el hinojo. Hervirlos durante 5 minutos en un cazo con abundante agua salada junto al bróculi, los guisantes y las cebolletas.
- En un cazo aparte hervir la remolacha hasta que esté tierna. Retirar y cortar a trozos pequeños.
- Salpimentar las verduras y saltearlas en una sartén a fuego medio con 3 cucharadas de aceite durante un par de minutos.
- Para el aderezo, mezclar en un bol todos los ingredientes y remover hasta que quede todo bien licuado.
- En una ensaladera mezclar la pasta y las verduras, adjuntar los tomates de ensalada ligeramente sazonados y cortados a trozos pequeños y la cebolla cortada en juliana (muy fina). Aderezar con el aliño y remover bien.

Composición: 40 g (4 raciones) de hidratos de carbono
270 kcal

Ejemplo de menú
(5 raciones de hidratos de carbono)

- Ensalada de pasta a la jardinera
- Pollo al horno
- 50 g de frutos secos (almendras, avellanas, nueces)

PENNE A LA LEONARDO

Ingredientes
200 g de *penne*
1 pimiento rojo
1 cebolla
½ bróculi
1 docena de corazones de
alcachofa (de conserva)

20 aceitunas negras
2 cucharadas de perejil picado
8 cucharadas de aceite de oliva
3 cucharadas de vinagre
de jerez
1 cucharada de tomillo seco
triturado

Preparación

- Lavar y cortar el pimiento a tiras muy finas. En una sartén a fuego lento poner 4 cucharadas de aceite. Freír durante 8 minutos el pimiento y la cebolla en juliana (muy fina).
- Transcurrido este tiempo verter el vinagre y el tomillo. Salpimentar y dejar cocer durante 1 minuto.
- Retirar y colocar en una fuente de servir sobre la cual colocaremos un papel absorbente.

- Poner una cacerola con agua y sal al fuego; cuando empiece a hervir echamos los *penne* y los dejamos hasta que estén al dente. Retirar del fuego, escurrir y pasarlos por agua fría.
- En un cazo con abundante agua salada hervimos el bróculi durante 3 minutos. Pasar por agua fría y escurrir.
- En una ensaladera mezclamos la pasta, el sofrito, el bróculi cortado muy fino, las alcachofas, las aceitunas y el perejil picado.
- Agregar 4 cucharadas de aceite de oliva, salpimentar y remover.
- Antes de servir espolvorear por encima con el tomillo.

Composición: 30 g (3 raciones) de hidratos de carbono
208 kcal

Ejemplo de menú
(5 raciones de hidratos de carbono)

- *Penne* a la Leonardo
- Salmón a la plancha
- Una pieza de fruta
- 1 biscote

ESPAGUETI A LA AMERICANA

Ingredientes	**Para el aderezo**
120 g de espagueti	3 cucharadas de aceite de oliva
200 g de judías tiernas muy finas	2 cucharadas de vinagre
2 cebollas tiernas cortadas a rodajas muy finas	2 dientes de ajo
100 g de cacahuetes tostados	2 cucharadas de salsa de soja
1 cucharada de perejil picado	1 cucharada de jengibre picado
	Sal y pimienta

Preparación

- Poner una cacerola con agua y sal al fuego. Cuando hierva echar los espagueti. Dejar cocer hasta que estén al dente. Retirar del fuego, escurrir y pasarlos por agua fría. Reservar.
- Hervir las judías en abundante agua salada y dejamos cocer hasta que estén tiernas. Reservar.
- En una fuente mezclar los espagueti y las judías junto a las cebollas cortadas a láminas y los cacahuetes tostados.
- Picar el ajo y el jengibre en un mortero y mezclar con el aceite de oliva, el vinagre y la salsa de soja. Salpimentar y remover hasta lograr una salsa consistente. Agregar y mezclar bien el aderezo. Espolvorear con el perejil picado.

Composición: 25 g (2,5 raciones) de hidratos de carbono
290 kcal

Ejemplo de menú
(5 raciones de hidratos de carbono)

- Espagueti a la americana
- Merluza al horno
- Una pieza de fruta
- 40 g de pan

TALLARINES BERMEJO

Ingredientes
125 g de tallarines
1 calabacín
2 tomates
1 cebolla
Un manojo de albahaca

Para el aderezo
8 cucharadas de aceite de oliva
2 cucharadas de vinagre
 de jerez
2 dientes de ajo
Sal y pimienta

Preparación

- Poner una cacerola con agua y sal al fuego, cuando empiece a hervir echamos los tallarines y dejamos hervir hasta que estén al dente. Retirar del fuego, escurrir y pasarlos por agua fría. Reservar.
- Lavar y pelar el calabacín y rallarlo muy fino.
- Lavar, pelar y quitar las semillas a los tomates. Cortarlos a dados.
- En una fuente de servir mezclar los tallarines con los tomates, el calabacín y la cebolla picada.
- Picar los dientes de ajo y mezclar con el aceite y el vinagre. Salpimentar.
- Agregar el aderezo y espolvorear con la albahaca picada.

Composición: 45 g (4,5 raciones) de hidratos de carbono
355 kcal

Ejemplo de menú
(5 raciones de hidratos de carbono)

- Tallarines bermejo
- Calamares a la plancha
- 1 yogur

PATATAS

Uno de los vegetales más extendidos, ha sido y es un alimento básico para amplios sectores de la población mundial. Cada 100 g de patata suministra unos 20 g de almidón, equivalente a unos 40 g de pan.

Aunque el contenido de proteínas sea sólo de un 2,5 %, en él se incluyen algunos aminoácidos esenciales, importantes en la nutrición. Las patatas contienen una notable proporción de potasio, a tener en cuenta en dietas en donde convenga controlar este electrolito.

Contienen calcio, fósforo, magnesio, hierro, vitaminas del grupo B y vitamina C.

Para preservar la riqueza en oligoelementos es conveniente hervir la patata con su piel.

En la dieta de la diabetes tipo 2 lo más aconsejable es servir la patata acompañando a la verdura, a los alimentos proteicos como la carne, el pescado y la tortilla, y en forma de ensalada.

ENSALADA DE PATATA, ATÚN Y ALCAPARRAS

Ingredientes
400 g de patatas
1 escarola
2 cebollas grandes
1 lata de atún en aceite de oliva
1 cucharada de alcaparras
1 cucharada de orégano picado

Para el aderezo
6 cucharadas de aceite de oliva
1 cucharada de vinagre
Sal y pimienta

Preparación

- Poner las cebollas en una fuente de barro rociadas con un poco de aceite. Meter la fuente en el horno a 120 °C y retirar cuando las cebollas estén bien asadas, aproximadamente en una hora. Cortar a trozos no muy grandes.
- Pelar las patatas, cortarlas en cuatro trozos y cocerlas al vapor durante 25 minutos.
- Cortar la escarola muy menudita.
- En una fuente de servir mezclar la escarola, las patatas, las cebollas, el atún desmenuzado y las alcaparras.
- En un bol mezclar bien el aceite y el vinagre, ligeramente salpimentado.
- Aliñar, remover bien y espolvorear el orégano picado.
- Servir caliente.

Composición: 20 g (2 raciones) de hidratos de carbono
285 kcal

Ejemplo de menú
(5 raciones de hidratos de carbono)

- Ensalada de patata, atún y alcaparras
- Pollo a la plancha
- Una pieza de fruta
- 30 g de pan

ENSALADA CALIENTE DE PATATAS Y CHAMPIÑONES

Ingredientes

600 g de patatas
200 g de champiñones
2 cebollas rojas
3 tallos de apio

1 cucharada de aceite de oliva
3 cucharadas de vinagre de
vino blanco
Una pizca de comino en polvo
Sal y pimienta

Preparación

- Lavar y cortar el apio a rodajas muy finas. Reservar.
- Pelar las cebollas y trocearlas muy menuditas.
- En una olla con abundante agua salada hervir las patatas hasta que estén tiernas. Pelar y colocar en una fuente de servir.
- Lavar y cortar los champiñones en láminas. Sazonar. En una sartén con 1 cucharada de aceite freír los champiñones a fuego lento hasta que se doren. Poner los champiñones sobre las patatas.
- Añadir al aceite de la sartén 3 cucharadas de vinagre y a continuación el comino. Verter la salsa sobre los champiñones y espolvorear por encima la cebolla picada.

Composición: 30 g (3 raciones) de hidratos de carbono
175 kcal

Ejemplo de menú
(5 raciones de hidratos de carbono)

- Ensalada caliente de patatas y champiñones
- Bistec a la plancha
- Una pieza de fruta
- 1 biscote

PATATAS HERVIDAS CON ALIÑO DE FINAS HIERBAS

Ingredientes
600 g de patatas
4 huevos duros
3 chalotes

Para el aderezo
2 yogures naturales
1 cucharada de zumo de limón

2 cucharadas de perejil
2 cucharadas de cebollino
3 chalotes
Una pizca de pimentón dulce
Sal y pimienta

Preparación

- En una olla con abundante agua salada hervir las patatas hasta que estén tiernas. Pelar y cortar a rodajas finas.
- Disponer las patatas en una fuente de servir, colocar por encima los chalotes picados muy finos y los huevos duros rallados.

- En un mortero picar muy finamente el perejil, el cebollino y los chalotes. Salpimentar y mezclar bien con los yogures, el pimentón dulce y el zumo de limón. Remover hasta formar una salsa espesa.
- Rociar con el aderezo y mezclar bien.

Composición: 30 g (3 raciones) de hidratos de carbono
227 kcal

Ejemplo de menú
(5 raciones de hidratos de carbono)

- Patatas hervidas con aliño de finas hierbas
- Gambas a la plancha con escarola y tomate
- 50 g de almendras tostadas
- 1 yogur

PATATAS PICANTES CON SALSA DE QUESO FRESCO

Ingredientes
1/2 kg de patatas pequeñas
Un puñado de tomates enanos (cherry)
Una cajita de berros
2 cucharadas de semillas de calabaza

Para el aderezo
2 cucharadas de aceite de oliva
80 g de queso blanco fresco
1 cucharada de vinagre
Una pizca de paprika
Sal

Preparación

- En un cazo con abundante agua salada hervir las patatas hasta que estén tiernas. Una vez frías, pelar las patatas.
- En una ensaladera mezclar las patatas, los tomates, los berros lavados previamente y las semillas de calabaza.
- Batir todos los ingredientes del aderezo en la batidora hasta formar una masa espesa.
- Regarlo todo con el aderezo.

Composición: 25 g (2,5 raciones) de hidratos de carbono
127 kcal

Ejemplo de menú
(5 raciones de hidratos de carbono)

- Patatas picantes con salsa de queso fresco
- Pierna de cordero a la plancha
- Una pieza de fruta
- 20 g de pan

PEPINO

Vegetal muy adecuado para ser utilizado en las dietas hipocalóricas y en la diabetes tipo 2 por su baja proporción de hidratos de carbono (2,2 %) y de calorías (13 kcal por cada 100 g).

Se trata de una verdura que contiene diversos minerales (calcio, fósforo, magnesio, hierro) y vitaminas (A, E, B1, B2, B3 y C).

Los pepinos pequeños conservados en vinagre (pepinillos) mantienen una baja proporción en hidratos de carbono y calorías, y conservan su contenido en vitamina B1 y B2. Se utilizan de forma habitual en dietas de adelgazamiento y se permite una ingesta moderada entre comidas.

Un excelente plato de la cocina española donde el pepino es un ingrediente fundamental es el **gazpacho andaluz**, muy recomendable como entrante en la dieta del diabético. No exponemos aquí su receta por ser universalmente conocida.

ENSALADA AL ESTILO GRIEGO

Ingredientes
1 pepino
4 tomates
1 pimiento verde
1 cebolla roja
200 g de queso feta
100 g de aceitunas negras
1 cucharadita de orégano
  fresco picado

Para el aderezo
4 cucharadas de aceite de
  oliva virgen
1 cucharada de vinagre de
  vino tinto
1 cucharadita de mostaza
1 diente de ajo triturado
Sal y pimienta

Preparación

- Lavar, pelar el pepino y cortarlo a dados.
- Lavar, pelar los tomates y cortarlos en octavos retirando las semillas.
- Lavar y cortar el pimiento a tiras, sin membranas ni semillas.
- Pelar y cortar la cebolla en juliana (muy fina).
- Verter los vegetales en una ensaladera agregando posteriormente el queso cortado a dados y las aceitunas negras. Aliñar con el aderezo y remover.
- Antes de servir espolvorear por encima el orégano.

Composición: 5 g (¹/₂ ración) de hidratos de carbono
495 kcal

ENSALADA VERDE DE PEPINO Y JUDÍAS

Ingredientes
2 pepinos
300 g de judías tiernas
2 cebollas rojas
50 g de piñones
1 lechuga
Sal y pimienta

Para el aderezo
8 cucharadas de aceite de oliva
2 cucharadas de vinagre
El zumo de medio pepino
La piel rallada de medio pepino

Preparación
- Lavar las judías y hervirlas en un cazo con abundante agua salada hasta que estén tiernas.
- Lavar y pelar los pepinos y cortarlos a rodajas muy finas.
- Pelar y cortar las cebollas en juliana (muy finas).
- Lavar y cortar las hojas de la lechuga en trozos grandes.
- Rallar la piel del pepino y el resto envolverlo en un paño de cocina estrujando para sacar todo su jugo. Mezclar todo con el aceite y el vinagre hasta lograr una salsa consistente.
- En una ensaladera mezclar las judías, los pepinos, las cebollas y la lechuga. Salpimentar y aderezar con el aliño, espolvoreando por encima los piñones.

Composición: 10 g (1 ración) de hidratos de carbono
288 kcal

Ejemplo de menú
(5 raciones de hidratos de carbono)

- Ensalada verde de pepino y judías
- Tortilla de patatas, preparada con 100 g de patatas
- 1 yogur
- 30 g de pan

ENSALADA DE PEPINO A LA MARISCAL

Ingredientes
1 pepino
2 chalotes
2 pechugas de pollo
2 cucharadas de perejil picado
1 cucharada de hojas de menta
  picadas

2 yogures
2 dientes de ajo machacados
Una pizca de paprika
4 rebanadas de pan tostado
  (de unos 40 g cada una,
  pesada antes de tostar)
Sal y pimienta

Preparación

- Lavar y picar muy menuditos el pepino y los chalotes.
- En un mortero picar los ajos y el perejil.
- En una ensaladera mezclar el pepino, los chalotes, los ajos, el perejil y el yogur. Salpimentar ligeramente y remover. A continuación espolvorear por encima la paprika y las hojas de menta picadas. Meter en el frigorífico durante un par de horas.

- En una sartén freír las pechugas a la plancha y cuando estén hechas desmenuzar y mezclar en la ensalada. Servir acompañada de una rebana de pan tostado.

Composición: 25 g (2,5 raciones) de hidratos de carbono
180 kcal

Ejemplo de menú
(5 raciones de hidratos de carbono)

- Ensalada de pepino a la mariscal
- Lenguado a la plancha
- Una pieza fruta
- 20 g de pan

ENSALADA SIMPLE DE PEPINO Y TOMATES

Ingredientes	**Para el aderezo**
1 pepino	5 cucharadas de aceite de oliva
4 tomates	El zumo de un limón
1 cebolla	1 diente de ajo
2 cogollos de lechuga	Sal y pimienta

Preparación
- Lavar y cortar los tomates a daditos quitando las semillas.
- Lavar y cortar el pepino a rodajas muy finas.
- Lavar y cortar los cogollos muy menuditos.
- Pelar y picar la cebolla muy fina.
- En un mortero picar el ajo y mezclar con el zumo de limón y el aceite de oliva, todo ligeramente salpimentado.

- Mezclar todos los ingredientes en la ensaladera y aliñar removiendo bien.

Composición: 5 g (¹/₂ ración) de hidratos de carbono
137 kcal

Ejemplo de menú
(5 raciones de hidratos de carbono)

- Ensalada simple de pepinos y tomates
- Un bistec a la plancha con 100 g de alubias hervidas (pesadas cocidas)
- Una pieza de fruta
- 20 g de pan

ENSALADA PERSA DE PEPINO AROMATIZADO

Ingredientes
1 pepino
¹/₂ pimiento rojo
¹/₂ pimiento amarillo
4 tomates
4 cebollas tiernas
2 cucharadas de perejil picado
2 cucharadas de menta fresca picada

2 cucharadas de coriandro fresco picado

Para el aderezo
7 cucharadas de aceite de oliva
2 cucharadas de zumo de limón
2 dientes de ajo
Sal y pimienta

Preparación

- Lavar y cortar el pepino a rodajas muy finas.
- Lavar y cortar los pimientos a tiras muy finas quitándoles las semillas. Pelar y cortar las cebollas tiernas en juliana (muy fina), y lavar y pelar los tomates a dados pequeños.
- Picar los ajos en un mortero y mezclar con el aceite y el zumo de limón. Salpimentar ligeramente y remover hasta formar una salsa consistente.
- En una ensaladera mezclar todos los ingredientes junto a las hierbas y aliñar removiendo bien.

Composición: 10 g (1 ración) de hidratos de carbono
197 kcal

Ejemplo de menú
(5 raciones de hidratos de carbono)

- Ensalada persa de pepino aromatizado
- Merluza al horno, 100 g de patata, 1 tomate
- Una pieza de fruta
- 1 yogur

Importante: Se recomienda tomarla con una rebanada de pan tostado. A los ingredientes podemos agregar 40 g de pan tostado untado con medio diente de ajo y aliñado con un poco de aceite y sal.

PIMIENTOS

Hortaliza de consumo muy difundido como aderezo de carnes y pescados, como integrante de muchas ensaladas o como entrante, especialmente cuando se prepara cocido al rescoldo (*escalivada*). En diversas recetas de cocina se prepara relleno con carne picada. Son famosos los pimientos procedentes de La Rioja, especialmente los llamados del piquillo.

Se presenta en tres variedades de atractivos colores: rojo, verde y amarillo.

El contenido en hidratos de carbono es ligeramente superior en el rojo (6-7 %) y un 4-5 % en las otras variedades. Contiene un 1,2 % de proteínas y diversos minerales (magnesio, hierro) y vitaminas (A, B1, B2, B6 y C).

ENSALADA DE PIMIENTOS Y POLLO

Ingredientes
2 pechugas de pollo
2 pimientos rojos
2 pimientos verdes
2 cebollas tiernas

Para el aderezo
3 cucharadas de aceite de soja
4 cucharadas de vinagre
  de jerez
2 cucharadas de salsa de Chile

Preparación

- En una olla grande cocer las pechugas de pollo en abundante agua salada durante unos 15 minutos. Escurrir, cortar muy menudita y reservar.
- Lavar los pimientos y cortarlos a tiras muy finas. En una sartén con dos cucharadas de aceite freír a fuego lento los pimientos durante un par de minutos. Salpimentar y reservar.
- Cortar las cebollas en juliana (muy fina). Poner las cebollas en remojo en agua fría durante 30 minutos cambiando el agua dos o tres veces.
- Transcurrido este tiempo mezclar todos los ingredientes en un bol, aderezándolo con el aliño. Se puede servir caliente preparando en primer lugar las cebollas.
- Para el aliño cocer en un cazo lentamente el vinagre hasta reducirlo a una cucharada. A continuación mezclarlo con el aceite de soja y la salsa de chile hasta que la salsa esté consistente.

Composición: 5 g (¹/₂ ración) de hidratos de carbono
120 kcal

Ejemplo de menú
(5 raciones de hidratos de carbono)

- Ensalada de pimientos y pollo
- Salmonetes fritos
- Una pieza de fruta
- 60 g de pan

BANDEROLA DE PIMIENTOS Y ALBAHACA FRESCA

Ingredientes

2 pimientos rojos
2 pimientos amarillos
1 diente de ajo
1 cucharada de perejil picado

1 cucharadita de albahaca fresca picada
4 cucharadas de aceite de oliva virgen
16-20 aceitunas negras
Sal y pimienta

Preparación

- En una fuente de barro hornear los pimientos durante 30 minutos, regados por encima con unas gotas de aceite de oliva, dándoles la vuelta un par de veces.
- Transcurrido este tiempo sacar del horno, pelar, partir por la mitad, separar las semillas y cortar cada uno de los lados en tiras largas y delgadas.
- Frotar una fuente de barro con el ajo. Colocar los pimientos, salpimentar y espolvorear por encima el perejil y la albahaca. Regar con aceite de oliva.

• Antes de servir, macerar durante un par de horas a temperatura ambiente. Al sacar a la mesa agregar las aceitunas negras.

Composición: 5 g (¹/₂ ración) de hidratos de carbono
152 kcal

Ejemplo de menú
(5 raciones de hidratos de carbono)
• Banderola de pimientos y albahaca fresca
• Pechuga de pavo a la plancha
• Una pieza de fruta
• 50 g de avellanas tostadas
• 40 g de pan

Importante: Se aconseja comer con una tostada de pan untado con ajo y aceite de oliva.

MARQUESINA DE PIMIENTOS Y PESCADO BLANCO

Ingredientes
300 g de pescado blanco
1 pimiento rojo
1 pimiento verde
1 lechuga
2 tomates
100 g de patata hervida
1 cucharada de cebollino picado

Para el aderezo
8 cucharadas de aceite de oliva
2 cucharadas de vinagre
1 diente de ajo
Una pizca de azafrán en polvo
Sal y pimienta

Preparación

- En una fuente de barro hornear los pimientos durante 30 minutos, regados por encima con unas gotas de aceite de oliva, dándoles la vuelta un par de veces.
- Transcurrido este tiempo sacar del horno, pelar, partir por la mitad, separar las semillas y cortar cada uno de los lados en tiras largas y delgadas. Reservar.
- En un cazo grande con abundante agua salada hervir el pescado hasta que esté tierno. Retirar y desmenuzar.
- En un mortero picar el ajo, mezclar con el azafrán en polvo, el vinagre y el aceite, salpimentar ligeramente y remover hasta lograr una salsa consistente.
- En un bol grande mezclar el pescado con el pimiento, rociar con el aliño y remover bien.
- Lavar la lechuga y repartir las hojas en la base de los platos. Colocar por encima la mezcla que hemos preparado. Espolvorear por encima con el cebollino picado.

Composición: 10 g (1 ración) de hidratos de carbono
28 kcal

Ejemplo de menú
(5 raciones de hidratos de carbono)

- Marquesina de pimientos y pescado blanco
- Conejo a la plancha, 100 g de patata
- Una pieza de fruta
- 1 biscote

Importante: Este plato también puede prepararse con los pimientos sin cocer, pero para ciertas personas resultan más difíciles de digerir.

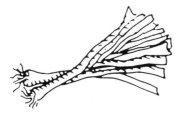

PUERROS

Vegetal con excelentes características para ser incluido en la dieta del diabético por su alto contenido en fibra que proporciona un índice glucémico muy favorable. En contra tiene su alto contenido en hidratos de carbono (un 7 %), algo superior al de otras verduras, aunque se tolera muy bien sin mostrar tendencia a originar glucemias postprandiales elevadas.

Su capacidad como nutriente es muy valiosa, con un 2,5 % de proteínas y una importante aportación de calcio, magnesio y hierro junto a las vitaminas A, E, B1, B2, B3 y B6 y C.

PUERROS À *LA MATISSE*

Ingredientes

½ kg de puerros
3 tomates maduros
1 cebolla
1 docena de aceitunas negras
1 diente de ajo

1 hoja de laurel
1 cucharada de tomillo fresco picado
Un vasito de vino blanco seco
Sal y pimienta

Preparación

- Lavar los puerros y cortarlos en láminas de 5 cm de largo desechando la base del tallo. Hervir los puerros en abundante agua salada durante 2 minutos. Reservar.
- En una sartén poner 3 cucharadas de aceite y cuando esté bien caliente echar la cebolla picada muy fina. Dejar cocer a fuego lento hasta que se dore.
- Añadir los tomates pelados sin semillas y cortados muy menuditos. Se deja cocer durante un par de minutos y se le añade el ajo picado, el laurel y el vino blanco. Salpimentar.
- Dejar cocer a fuego medio durante 15 minutos sin dejar de remover.
- Transcurrido este tiempo, agregar los puerros y dejar cocer unos 10 minutos hasta que estén bien tiernos, añadiendo agua si se evapora la salsa.
- Servir caliente aliñado con aceite de oliva y decorado con las aceitunas negras.

Composición: 10 g (1 ración) de hidratos de carbono
151 kcal

Ejemplo de menú
(5 raciones de hidratos de carbono)

- Puerros *à la Matisse*
- Cordero a la plancha y 100 g de alubias cocidas
- 1 yogur
- 30 g de pan

PUERROS CON JAMÓN SERRANO Y HUEVO DURO

Ingredientes

$^1/_2$ kg de puerros
50 g de jamón serrano
  (parte magra)
1 huevo duro
1 cucharada de perejil picado
Sal

Para el aderezo

9 cucharadas de aceite de oliva
2 cucharadas de vinagre
1 cucharadita de mostaza
1 diente de ajo
Sal y pimienta

Preparación

- Lavar los puerros y quitarles la parte inferior del tallo. Hacer una pequeña incisión longitudinal. En una olla se ponen los puerros y se hierven con agua con sal (poca agua, la justa para cubrirlos) hasta que estén tiernos, aproximadamente unos 12 minutos. Escurrir y colocar en la base de una fuente.

- Por encima de los puerros se coloca una capa de jamón serrano muy menudito y el huevo duro rallado.

- En un mortero picar el ajo y mezclar con el aceite, el vinagre y la mostaza. Salpimentar. Remover bien hasta lograr una salsa espesa.

- Servir espolvoreado con el perejil y acompañado con el aderezo servido en una salsera.

Composición: 5 g ($^1/_2$ ración) de hidratos de carbono
247 kcal

Ejemplo de menú
(5 raciones de hidratos de carbono)

- Puerros con jamón serrano y huevo duro
- Calamares a la plancha
- Una pieza de fruta
- 50 g almendras tostadas
- 40 g de pan

TIMBAL DE PATATAS Y PUERROS

Ingredientes

½ kg de patatas

1 docena de puerros

2 tomates rojos maduros

1 cucharada de perejil picado

Para el aderezo

9 cucharadas de aceite de oliva

2 cucharadas de vinagre

1 cucharadita de mostaza

1 cucharadita de salsa picante (tabasco)

1 diente de ajo

Preparación

- En una olla grande con abundante agua salada hervir las patatas sin pelar hasta que estén tiernas. Retirar del fuego y cuando estén frías, pelar y cortar a rodajas finas. Reservar.
- Lavar los puerros y cortar la parte final del tallo. En una olla grande poner los puerros y cubrirlos con agua. Hervir hasta que estén tiernos, aproximadamente unos 12 minutos. Escurrir y reservar.
- Pelar los tomates, quitar sus semillas y cortar muy menuditos.
- Colocar las patatas en la base de cada plato y por encima de ellas los puerros y los tomates.

- En un mortero picar el diente de ajo y mezclarlo bien con el aceite de oliva, el vinagre, la mostaza y el tabasco hasta formar una salsa espesa.
- Aliñar con el aderezo.
- Antes de servir espolvorear con el perejil picado.

Composición: 30 g (3 raciones) de hidratos de carbono
295 kcal

Ejemplo de menú
(5 raciones de hidratos de carbono)
- Timbal de patatas y puerros
- Bistec a la plancha
- 1 yogur
- 30 g de pan

PUERROS POULENC

Ingredientes
1 kg de puerros
1 lechuga
2 tomates maduros
2 huevos duros
1 cucharada de cebollino picado

Para el aderezo
3 cucharadas de salsa mahonesa
El zumo de medio limón

Preparación
- Lavar los puerros y cortarlos a rodajas finas, desechando la base del tallo.

- En un cazo con abundante agua salada hervir los puerros durante unos minutos. Escurrir y reservar.
- Limpiar la lechuga y cortarla muy menudita.
- Rallar los huevos duros.
- Lavar los tomates, quitarles la piel y las semillas y cortarlos a dados pequeños.
- En una ensaladera mezclar todos los ingredientes y aliñarlos con el aderezo.
- Antes de servir espolvorear por encima el cebollino picado.

Composición: 20 g (2 raciones) de hidratos de carbono
170 kcal

Ejemplo de menú
(5 raciones de hidratos de carbono)

- Puerros Poulenc
- Salmón a la plancha
- Una pieza de fruta
- 30 g de pan

REMOLACHA

A pesar de ser un vegetal del que se extrae azúcar, la proporción de hidratos de carbono es sólo de un 10 %, de ahí que se considere muy útil en la dieta del diabético.

En su composición hay calcio, fósforo y hierro, y también vitaminas A, B1, B2, niacina y vitamina C. Tiene una cierta proporción de ácido oxálico, por lo que las personas que tienen problemas de cálculos renales de oxalatos deben moderar su uso.

COLORADA DE LECHUGA Y CEBOLLAS

Ingredientes
1/2 kg de remolacha (hervida)
2 ramilletes de canónigo
1 cebolla
1 cucharada de perejil picado
2 chalotes

Para el aderezo
8 cucharadas de aceite de oliva
2 cucharadas de vinagre
1 cucharadita de mostaza
2 dientes de ajo
Sal y pimienta

Preparación

- En un cazo con abundante agua salada hervir la remolacha hasta que esté tierna. Retirar y cortar a tiras finas.
- Presentar las tiras de la remolacha en una ensaladera, mezclada con los chalotes cortados muy menuditos. Marinar durante un par de horas.
- Lavar los canónigos y cortarlos a trozos pequeños. Colocar las hojas de los canónigos en la base de cada plato y por encima distribuir la remolacha macerada y unos aros de cebolla.
- En un mortero picar los dientes de ajo y mezclarlos bien con la mostaza, el aceite y el vinagre. Salpimentar al gusto.
- Regar cada plato con el aderezo.
- Antes de servir espolvorear con el perejil picado.

Composición: 10 g (1 ración) de hidratos de carbono
220 kcal

Ejemplo de menú
(5 raciones de hidratos de carbono)

- Colorada de lechuga y cebolla
- Pollo al ast con 25 g de patatas chips
- Una pieza de fruta
- 30 g de pan

REMOLACHA A LA AMADEUS

Ingredientes
200 g de remolacha
3 endibias
1 naranja grande

Para el aderezo
1 yogur natural

La ralladura de una naranja
El zumo que se recoja al cortar
la naranja
2 cucharadas de mostaza en
grano
1 cucharada de cebollino
picado muy fino

Preparación

- Hervir la remolacha en abundante agua salada hasta que esté tierna. Escurrir y trocear muy menudita.
- Pelar la naranja, cortarla primero a rodajas y éstas a trozos, reservando el zumo que se desprenda para agregarlo al aderezo.
- En una ensaladera mezclar bien la remolacha, los gajos de naranja con las hojas de lechuga cortada muy finas.
- En un mortero picar el cebollino y los granos de mostaza, agregar la ralladura de la cáscara de naranja, sazonar y mezclarlo todo con el yogur y el zumo de naranja hasta lograr una salsa espesa.
- Aderezar con la salsa de yogur, removiendo bien. Meter en el frigorífico por espacio de 2 horas.
- Antes de servir espolvorear con el cebollino picado muy fino.

Composición: 10 g de (1 ración) hidratos de carbono
75 kcal

Ejemplo de menú
(5 raciones de hidratos de carbono)

- Remolacha a la Amadeus
- Sardinas a la plancha
- 50 g de pan tostado y untado con aceite y ajo
- Una pieza de fruta

REMOLACHA A LA PASTORA

Ingredientes
150 g de remolacha hervida
  (puede ser en conserva)
2 manzanas
2 endibias
1 docena de nueces
150 g de queso blanco fresco
1 cucharada de pasas

Para el aderezo
8 cucharadas de aceite de oliva
2 cucharadas de vinagre
  de sidra
1 diente de ajo triturado
Sal y pimienta

Preparación

- En un cazo con abundante agua salada hervir las remolachas hasta que estén tiernas. Retirar y cortar muy menudita.
- Pelar y cortar la manzana a dados pequeños.
- Cortar el queso fresco a dados pequeños.
- En un bol mezclar la remolacha, la manzana, el queso fresco, las pasas y las nueces.
- Deshojar las endibias y colocar las hojas como fondo de cada plato. Distribuir por encima la mezcla de ensalada.
- Aderezar con la salsa vinagreta.

Composición: 25 g (2,5 raciones) de hidratos de carbono
316 kcal

Ejemplo de menú
(5 raciones de hidratos de carbono)

- Remolacha a la pastora
- Pechuga de pavo a la plancha
- 1 yogur
- 40 g de pan

SOJA

Los brotes de soja o soja germinada es un vegetal de cierto interés tanto en la dietética como en la gastronomía.

En dietética debido a su bajo contenido en hidratos de carbono (inferior a un 3 %) con un contenido proteico cercano al 4 %. Contienen calcio, fósforo y magnesio y vitaminas B1, B2 y C.

En gastronomía ha sido introducida sobre todo por la cocina oriental, dando a las ensaladas un toque de sabroso sabor exótico. Combina muy bien con el pollo frío y con los champiñones.

ENSALADA DE BROTES DE SOJA ADEREZADA CON SEMILLAS DE SÉSAMO TOSTADAS

Ingredientes
200 g de brotes de soja
2 pechugas de pollo cocidas
y frías
150 g de champiñones
1 pimiento amarillo
2 cebollas tiernas
2 zanahorias
5 rabanillos

1 cucharada de semillas
de sésamo tostadas

Para el aderezo
2 cucharadas de aceite de oliva
1 cucharada de aceite
de sésamo
1 cucharada de vinagre
1 cucharada de salsa de soja

Preparación
- Lavar los champiñones y cortarlos a láminas. Reservar.
- Lavar el pimiento amarillo, quitarle las semillas y las fibras y cortarlo a cuadrados pequeños. Reservar.
- Lavar las zanahorias y cortarlas a rodajas muy finas.
- En una ensaladera grande mezclar la soja, las pechugas cortadas a cuadraditos, las láminas de champiñones, el pimiento amarillo, las cebollas tiernas y los rabanillos cortados en rodajas y las zanahorias. Agregar la salsa y remover bien.
- Antes de servir espolvorear con las semillas de sésamo tostadas.

Composición: 10 g (1 ración) de hidratos de carbono
182 kcal

Ejemplo de menú

- Ensalada de brotes de soja
- Merluza a la romana (rebozada con 25 g de harina)
- Una pieza de fruta
- 1 biscote

ENSALADA DE SOJA CON SETAS

Ingredientes
¼ kg de brotes de soja
100 g de setas
2 pechugas de pollo
2 dientes de ajo
4 cucharadas de aceite
  de oliva
Perejil
Sal y pimienta

Para el aderezo
3 cucharadas de salsa de soja
2 cucharadas de vinagre
4 cucharadas de aceite de oliva
Sal y pimienta

Preparación
- En una sartén con aceite freír las pechugas de pollo. Salpimentar.
- Una vez se han enfriado se cortan a tiras muy finas. Reservar.
- En el mismo aceite que se ha utilizado para freír las pechugas se doran ligeramente las setas, previamente lavadas y cortadas muy finas. Reservar.
- En una fuente de servir mezclar la soja, las setas, las pechugas y los ajos picados. Aderezar con la salsa y remover.
- Antes de servir espolvorear con el perejil picado.

Composición: 5 g (¹/₂ ración) de hidratos de carbono
176 kcal

Ejemplo de menú
(5 raciones de hidratos de carbono)

- Ensalada de soja con setas
- Calamares a la plancha
- Manzana al horno (una pieza)
- 30 g de pan

ENSALADA DE SOJA A LA SALSA DE MOSTAZA

Ingredientes
200 g de brotes de soja
1 pimiento rojo
1 pimiento verde
2 tomates maduros
150 de judías secas
1 cucharada de perejil picado

Para el aderezo
8 cucharadas de aceite
  de oliva
2 cucharadas de vinagre
1 cucharadita de mostaza
¹/₄ de cebolla
Sal y pimienta

Preparación

- Poner las judías en remojo desde la noche anterior. Hervir las judías y una vez tiernas escurrir y reservar.
- Lavar y cortar los pimientos en juliana (muy finos).
- Lavar y pelar los tomates retirando todas las semillas.
- En una ensaladera mezclar bien la soja, las judías, los pimientos y los tomates maduros.

- Picar muy fina la cebolla, salpimentar y mezclar con la mostaza, el aceite de oliva y el vinagre.
- Regar todo con 6 cucharadas de aderezo y, antes de servir, espolvorear con el perejil picado.

Composición: 15 g (1,5 raciones) de hidratos de carbono
229 kcal

Ejemplo de menú
(5 raciones de hidratos de carbono)

- Ensalada de soja a la salsa de mostaza
- Pechuga de pollo rebozada (con 25 g de harina)
- Queso blanco fresco
- 30 g de pan

SOJA CON SALSA DE ZANAHORIA

Ingredientes
200 g de brotes de soja
125 g de champiñones
1 cebolla
1 pechuga de pollo cocida

Para el aderezo
2 zanahorias
3 cucharadas de salsa de soja
Sal y pimienta

Preparación

- Lavar los champiñones y cortarlos a láminas.
- En una ensaladera mezclar la soja con los champiñones, la cebolla picada y la pechuga cortada a dados. Remover bien y agregar la salsa.

- Para el aderezo hervir las zanahorias y cuando estén tiernas pasarlas por el minipimer. Salpimentar y mezclar bien con la salsa de soja.

Composición: 5 g (¹/₂ ración) de hidratos de carbono
100 kcal

Ejemplo de menú
(5 raciones de hidratos de carbono)

- Soja con salsa de zanahoria
- 180 g de garbanzos hervidos (pesados ya cocidos)
- Queso tipo Burgos

TOMATE

Desde el punto de vista dietético el tomate es una hortaliza muy adecuada para ser introducida en la dieta del diabético por su escaso porcentaje de hidratos de carbono (alrededor de un 3 %). Contiene 1 g de proteínas en cada 100 g del vegetal, diversos oligoelementos (calcio, fósforo, hierro y magnesio) y diversas vitaminas (B1, niacina, A, C y E).

Desde el punto de vista gastronómico es un componente habitual de muchas ensaladas. Combina de forma especial con los quesos tiernos y otros lácteos y su sabor se complementa muy bien con la albahaca. Interviene en numerosas recetas culinarias.

ENSALADA DE TOMATES CON ANCHOA Y ALCAPARRAS A LAS FINAS HIERBAS

Ingredientes
6 tomates maduros
6 filetes de anchoa
4 huevos duros
Un puñado de berros
2 cucharadas de pepinillos troceados
1 cucharada de alcaparras

Para el aderezo
5 cucharadas de aceite de oliva
1 cucharada de vinagre
1 cucharadita de mostaza
1 diente de ajo
2 cucharadas de ketchup
2 cucharadas de hierbas picadas (perejil, cebollino, estragón)
Sal y pimienta

Preparación

- Lavar los pepinillos y trocearlos muy menuditos.
- Cortar los huevos duros a lonchas finas y colocarlas en platos individuales. Encima de las lonchas poner los trocitos de pepinillo y las alcaparras.
- Pelar los tomates y quitarles las semillas. Partir los tomates en tres mitades y colocarlas en el centro del plato con los filetes de anchoa por encima.
- Decorar el plato con las ramitas de berro.
- En un mortero picar el ajo. Aparte picar el perejil, el cebollino y el estragón. Mezclar las hierbas con el ajo y en un bol aparte mezclar bien con el aceite de oliva, el vinagre, la mostaza y el ketchup. Salpimentar ligeramente y remover hasta formar una salsa consistente.
- Aliñar todo con el aderezo.

Composición: 5 g (¹/₂ ración) de hidratos de carbono
240 kcal

Ejemplo de menú
(5 raciones de hidratos de carbono)

- Ensalada de tomates, anchoa y alcaparras a las finas hierbas
- Conejo a la plancha con berenjenas fritas
- Una pieza de fruta
- 50 g de pan

ENSALADA DE TOMATE, JUDÍAS Y ATÚN

Ingredientes
6 tomates maduros
300 g judías secas
1 cebolla
1 lata de atún en aceite
75 g de aceitunas negras
2 cucharadas de perejil picado

Para el aderezo
9 cucharadas de aceite de oliva
2 cucharadas de vinagre
1 cucharadita de mostaza
3 dientes de ajo
Sal y pimienta

Preparación

- Lavar y pelar los tomates. Cortar entre 6 y 8 trozos cada tomate.
- En un cazo con abundante agua salada hervir las judías que habremos dejado en remojo la noche anterior. Cuando estén tiernas retirar del fuego, escurrir y poner en una ensaladera.
- En un mortero picar el ajo y mezclar salpimentando con la mostaza, el vinagre y el aceite hasta lograr un aliño compacto.

- Mezclar los tomates con las judías, las aceitunas negras, la cebolla cortada en juliana y el atún desmenuzado. Aliñar y espolvorear por encima con el perejil picado.

Composición: 15 g (1,5 raciones) de hidratos de carbono
280 kcal

Ejemplo de menú
(5 raciones de hidratos de carbono)

- Ensalada de tomates, judías y atún
- Pechuga de pollo a la plancha
- Una pieza fruta
- 40 g de pan

ENSALADA MONTAÑESA DE REQUESÓN Y TOMATE

Ingredientes
3 tomates maduros
300 g de requesón
1/2 pepino
1 escarola
Sal y pimienta

Preparación

- Lavar y pelar los tomates cortados muy menuditos y chafados con un tenedor.

- Cortar el requesón a dados y chafar con un tenedor hasta que quede muy bien desmenuzado.
- Lavar y pelar el pepino cortado a dados muy pequeños.
- Poner el requesón, los tomates y el pepino en un bol y mezclar bien.
- Servir las hojas de escarola en la base de los platos con la mezcla preparada anteriormente por encima.

Composición: 5 g (¹/₂ ración) de hidratos de carbono
87 kcal

Ejemplo de menú
(5 raciones de hidratos de carbono)

- Ensalada montañesa de requesón y tomate
- Rape a la plancha con 100 g de patatas hervidas
- Una pieza de fruta
- 20 g de pan

SALTEADO DE TOMATES Y MANGO
AL ZUMO DE LIMÓN

Ingredientes
2 tomates maduros grandes
1 mango
¹/₂ cebolla roja
¹/₂ pepino
1 cucharadita de cebollino
   picado

Para el aderezo
6 cucharadas de aceite de oliva
2 cucharadas de zumo
   de limón
1 diente de ajo
1 cucharadita de tabasco
Sal y pimienta

Preparación

- Lavar y cortar los tomates a rodajas.
- Pelar y cortar la cebolla en aros y el pepino a rodajas muy finas.
- Pelar y cortar el mango a gajos.
- Distribuir en cada plato las rodajas de tomate y por encima las rodajas de pepino, el mango y los aros de cebolla.
- En un mortero picar el ajo y agregar ligeramente salpimentado el aceite de oliva y el zumo de limón. Mezclar bien y añadir la salsa tabasco. Aliñar.
- Antes de servir espolvorear por encima el cebollino picado.

Composición: 15 g (1,5 raciones) de hidratos de carbono
168 kcal

Ejemplo de menú
(5 raciones de hidratos de carbono)

- Salteado de tomates y mango al zumo de limón
- Bistec a la plancha
- Una pieza de fruta
- 40 g de pan

ENSALADA DE TOMATES Y AGUACATES
AL ESTILO *ROYAL*

Ingredientes

3 tomates maduros grandes
6 champiñones grandes
1 aguacate
1 limón
1 cucharada de perejil picado

Para el aderezo

1 yema de huevo
1 cucharada de mostaza

10 cucharadas de aceite
  de oliva
2 cucharadas de vinagre
1 cucharada de salsa de Chile
¼ pimiento rojo
¼ pimiento verde
⅓ pepino

Preparación

- Pelar los tomates y cortarlos a láminas muy finas.
- Lavar los champiñones y cortar a láminas finas.
- Pelar, deshuesar y cortar el aguacate a láminas finas rociando con un poco de limón para que no ennegrezca.
- Disponer las láminas de los tres ingredientes en una fuente de servir formando tres columnas paralelas, cada una con un vegetal. Aliñar.
- Antes de servir espolvorear por encima con el perejil picado.
- Para el aderezo, poner los pimientos en una cazuela de barro y meter en el horno a 180 °C hasta que estén tiernos. Machacar y mezclar con el pepino sin pepitas picado muy fino. En un bol mezclar todo con la yema de huevo, la mostaza y el aceite removiendo hasta lograr una salsa compacta. A continuación agregar el vinagre y la salsa de Chile. Remover y adjuntar las hortalizas.

Composición: 5 g (¹/₂ ración) de hidratos de carbono
325 kcal

Ejemplo de menú
(5 raciones de hidratos de carbono)
- Ensalada de tomates y aguacates al estilo *royal*
- Lenguado a la plancha con 100 g de patata hervida
- Una pieza de fruta
- 20 g de pan

ENSALADA NAPOLITANA

Ingredientes
4 tomates maduros grandes
200 g de queso mozzarella
2 cucharadas de hojas
   de albahaca fresca
12 aceitunas negras
1 cucharada de alcaparras
4 filetes de anchoa cortados
   a trocitos (optativo)
1 cebolla roja cortada en
   juliana (optativo)

1 cucharada de piñones
   (optativo)

Para el aderezo
7 cucharadas de aceite de oliva
   virgen
2 cucharadas de vinagre de
   vino tinto
1 diente de ajo
¹/₂ cucharadita de mostaza
   de Dijon

Preparación
- Lavar los tomates y cortar a rodajas finas.
- Cortar la mozarella a láminas.

- En una fuente colocar filas de rodajas de tomate y de mozarella. Agregar las hojas de albahaca, las alcaparras, las aceitunas negras y el resto de los ingredientes si se opta por introducir las anchoas, la cebolla y los piñones.
- Machacar el ajo y mezclar con el vinagre y el aceite de oliva.
- Salpimentar todo y aliñar.

Composición: 5 g (¹/₂ ración) de hidratos de carbono
165 kcal

Ejemplo de menú
(5 raciones de hidratos de carbono)

- Ensalada napolitana
- Sardinas a la plancha
- Una pieza de fruta
- 60 g de pan tostado con ajo y aceite